Gramática
Fácil

Evanildo Bechara

Professor Titular e Emérito da Universidade do Estado do Rio de Janeiro (UERJ) e da Universidade Federal Fluminense (UFF); Membro da Academia Brasileira de Letras e da Academia Brasileira de Filologia; Sócio correspondente da Academia das Ciências de Lisboa; Representante brasileiro do novo Acordo Ortográfico

Gramática Fácil

Completa e rápida de consultar, para responder a todas as suas dúvidas

*3.ª edição revista
e atualizada*

Rio de Janeiro, 2021

© 2014 by Evanildo Bechara
© 2014 Editora Nova Fronteira Participações S.A.

Direitos de edição da obra em língua portuguesa no Brasil adquiridos pela EDITORA NOVA FRONTEIRA PARTICIPAÇÕES S.A. Todos os direitos reservados. Nenhuma parte desta obra pode ser apropriada e estocada em sistema de banco de dados ou processo similar, em qualquer forma ou meio, seja eletrônico, de fotocópia, gravação etc., sem a permissão do detentor do copirraite.

EDITORA NOVA FRONTEIRA PARTICIPAÇÕES S.A.
Av. Rio Branco, 115 — Salas 1201 a 1205 — Centro — 20040-004
Rio de Janeiro — RJ — Brasil
Tel.: (21) 3882-8200

Dados Internacionais de Catalogação na Publicação (CIP)
(Câmara Brasileira do Livro, SP, Brasil)

Bechara, Evanildo
 Gramática fácil / Evanildo Bechara. -- 3. ed. -- Rio de Janeiro : Nova Fronteira, 2021.

 ISBN 978-65-5640-197-3

 1. Gramática - Estudo e ensino 2. Língua portuguesa I. Título.

21-68863   CDD-469.5

Índices para catálogo sistemático:
1. Gramática : Língua portuguesa : Linguística 469.5

Aline Graziele Benitez - Bibliotecária - CRB-1/3129

À geração dos jovens a que pertencem meus bisnetos,
Filipe, Thiago, Helena, Bruno, Arthur, Júlia, Laura e Adrian,
na esperança de que pela cultura construa o Brasil dos
seus e dos nossos sonhos.

Sempre achei que uma gramática é uma coisa muito séria. Uma boa gramática é um alto serviço a uma língua e a um país. Se essa língua é a nossa, e o país é este em que vivemos, o serviço cresce ainda e a empresa torna-se mais difícil.

Machado de Assis

Toda nação tem o seu código de bem falar e escrever em que se instruem os naturais até aos quinze ou aos dezesseis anos, e cada qual procura exprimir-se de acordo com ele, abandonando os problemas da língua aos filólogos e aos gramáticos a quem compete destrinçá-los.

Entre nós, que sucede? Os estudantes de português e muitos dos que escrevem para o público descuram inteiramente da gramática elementar, para se interessarem pelas questões transcendentais (...), que nada adiantam na prática.

Da sua parte, os alunos não devem dar de mão à gramática elementar a fim de se exercitarem nos verbos e adquirirem outras noções básicas, e, como tais, indispensáveis, submetendo-se conjuntamente a um regime diário de leitura escolhida de escritores modernos para se firmarem nos complementos e adquirirem a harmonia (...).

Silva Ramos

O escritor não estará obrigado a receber e dar curso a tudo o que o abuso, o capricho e a moda inventam e fazem correr. Pelo contrário, ele exerce também uma grande parte de influência a este respeito, depurando a linguagem do povo e aperfeiçoando-lhe a razão.

Machado de Assis

Sumário

Prefácio 21

PARTE I
ORAÇÃO SIMPLES, SEUS TERMOS E REPRESENTANTES GRAMATICAIS ... 23

INTRODUÇÃO
FUNDAMENTOS DA TEORIA GRAMATICAL 24
Importância da oração para a gramática 24
Constituição das unidades: morfologia 25
Disciplinas das unidades não significativas 25
Ortoepia, prosódia e ortografia 25
Disciplina das unidades significativas 25
Os saberes da competência linguística 26
Língua exemplar ou padrão 26

CAPÍTULO 1
SUJEITO E PREDICADO 28
Sujeito simples e composto 28
Princípios gerais de concordância verbal 28
Posição do predicado e do sujeito 29
O emprego da vírgula 29
Oração sem sujeito 30
Sujeito indeterminado 31

CAPÍTULO 2
PREDICADO E SEUS OUTROS TERMOS CONSTITUTIVOS 33
Predicado simples e complexo 33
Verbo intransitivo e transitivo 33
Objeto direto e complementos preposicionados 33
Objeto direto preposicionado 34

    Complementos verbais preposicionados 35
    Predicativo 35
    Complemento de agente da passiva 36

Capítulo 3
Expansões do nome e do verbo 38
    Noção de adjunto 38
    Adjunto adnominal 38
    Adjunto adverbial 38
    Complemento nominal 39
    Aposto 39
    Vocativo: uma unidade à parte 40
    Funções sintáticas e classes de palavras 40

Parte 2
As unidades do enunciado: formas e empregos 43

Capítulo 4
Substantivo 44
    Concretos e abstratos 44
    Próprios e comuns 44
    Coletivos 45
    Os substantivos distinguem-se em 46
        1 – Número 46
        2 – Gênero 46
            O gênero nas profissões femininas 47
        3 – Grau 49
    Função sintática do substantivo 49

Capítulo 5
Adjetivo 50
    Locução adjetiva 50
    Flexões do adjetivo 50
    Número do adjetivo 50
    Gênero do adjetivo 51
    Formação do feminino dos adjetivos 51
    Gradação do adjetivo 51
    Comparativos e superlativos irregulares 52

Capítulo 6
Artigo 53
    Emprego do artigo definido 53

Emprego do artigo indefinido..54
O artigo partitivo..55

Capítulo 7
Pronome..56
Classificação dos pronomes 56
Pronome substantivo e pronome adjetivo..56
Pronome pessoal..56
Pronome oblíquo reflexivo..57
Pronome oblíquo reflexivo recíproco 57
Formas de tratamento 58
Pronomes possessivos..58
Pronomes demonstrativos...58
Pronomes indefinidos..59
Locução pronominal indefinida 59
Pronomes interrogativos 59
Pronomes relativos...60
Emprego dos pronomes...61
   Pronome pessoal...61
   O pronome *se* na construção reflexa 61
   Pronome possessivo 62
      Seu e *dele* para evitar confusão...62
      Possessivo para indicar ideia de aproximação 62
      Valores afetivos do possessivo..62
      O possessivo em referência a um possuidor de sentido indefinido 63
      O possessivo e as expressões de tratamento do tipo *Vossa Excelência* 63
   Pronome demonstrativo..63
      Demonstrativos referidos à noção de espaço...............................63
      Demonstrativos referidos à noção de tempo 64
      Demonstrativos referidos a nossas próprias palavras.................64
   Pronome relativo..64

Capítulo 8
Numeral..66
Ordinais 66
Leitura de expressões numéricas abreviadas 67
Multiplicativos 67
Fracionários..68

Capítulo 9
Verbo 69
As pessoas do verbo 69
Os tempos do verbo 69
   Presente..69

    Pretérito 69
    Futuro 70
Os modos do verbo 70
    Indicativo 70
    Subjuntivo (conjuntivo) 70
    Condicional 70
    Optativo 70
    Imperativo 70
As vozes do verbo 70
    Ativa 70
    Passiva 71
    Reflexiva 71
Formas nominais do verbo 71
Conjugar um verbo 72
Verbos regulares, irregulares e anômalos 72
Locução verbal. Verbos auxiliares 74
Elementos estruturais do verbo: desinências e sufixos verbais 77
Tempos primitivos e derivados 77
A sílaba tônica nos verbos 78
Verbos notáveis quanto à pronúncia ou flexão 78
Verbos em *-ear* e *-iar* 79
Emprego do verbo 80
    Atenção para os verbos derivados! 80
    Emprego de tempos e modos 80
        Indicativo 80
            Presente 80
            Pretérito imperfeito 81
            Pretérito perfeito 81
            Pretérito mais-que-perfeito 81
            Futuro 81
        Subjuntivo 81
        Imperativo 81
Formas nominais 82
Apêndice 83
    Passagem da voz ativa à passiva e vice-versa 83

Capítulo 10
Advérbio 85
Locução adverbial 85
Circunstâncias adverbiais 85
Advérbios de base nominal e pronominal 87
Adverbialização de adjetivos 88
Intensificação gradual dos advérbios 88

Capítulo 11
Preposição 89
Locução prepositiva 89
Acúmulo de preposições 90
Combinação e contração com outras palavras 90
    Emprego do *a* acentuado (À) 90
        Ocorre a crase nos seguintes casos principais 91
        Não ocorre a crase nos seguintes casos principais 92
        A crase é facultativa nos seguintes casos principais 93
A e há 94

Capítulo 12
Conjunção 95
Conector e transpositor 95
Conectores ou conjunções coordenativas 96
Conjunções aditivas 96
Conjunções alternativas 96
Conjunções adversativas 96
Unidades adverbiais que não são conjunções coordenativas 97
Transpositores ou conjunções subordinativas 97
    Causais 97
    Concessivas 97
    Condicionais 98
    Conformativas 98
    Finais 98
    Modais 98
    Proporcionais 98
    Temporais 98

Capítulo 13
Interjeição 100
Locução interjetiva 100

Parte 3
Orações complexas e grupos oracionais 101

Capítulo 14
A subordinação e a coordenação. A justaposição 102
Subordinação: oração complexa 102
Orações complexas de transposição substantiva 103
Orações complexas de transposição adjetiva 104
Adjetivação de oração originariamente substantiva 105
Orações complexas de transposição adverbial 106

    1. Causais 107
    2. Comparativas 107
    3. Concessivas 108
    4. Condicionais 108
    5. Consecutivas 108
    6. Finais 108
    7. Temporais 109
  Grupos oracionais: a coordenação 109
  A justaposição 110
  Discurso direto, indireto e indireto livre 110
  Decorrência de subordinadas 111
  Concorrência de subordinadas: equipolência interoracional 112

Capítulo 15
As chamadas orações reduzidas 114
  Que é oração reduzida 114
  Desdobramento das orações reduzidas 114
  Orações substantivas reduzidas 115
  Orações adjetivas reduzidas 115
    Infinitivo 115
    Gerúndio 115
    Particípio 115
  Orações adverbiais reduzidas 116
    Infinitivo 116
    Gerúndio 116
    Particípio 116

Capítulo 16
As frases: enunciados sem núcleo verbal 117
  Oração e frase 117

Parte 4
Concordância, regência e colocação 119

Capítulo 17
Concordância nominal 120
  Considerações gerais 120
  Concordância nominal 120
    A – Concordância de palavra para palavra 120
      1. Há uma só palavra determinada 120
      2. Há mais de uma palavra determinada 120
      3. Há uma só palavra determinada e mais de uma determinante 121
    B – Concordância de palavra para sentido (referência) 121
    C – Outros casos de concordância nominal 121

1. Um e outro, nem um nem outro, um ou outro 121
2. Mesmo, próprio, só 122
3. Menos e somenos 122
4. Leso 122
5. Anexo, apenso e incluso 122
6. Dado e visto 122
7. Meio 122
8. Pseudo e todo 122
9. Tal e qual 123
10. Possível 123
11. A olhos vistos 123
12. É necessário, é bom, é preciso 123
13. Adjetivo composto 123
14. Alguma coisa boa ou alguma coisa de bom 124

Capítulo 18
Concordância verbal 125
A – Concordância de palavra para palavra 125
    1. Há sujeito simples 125
    2. Há sujeito composto 125
B – Concordância de palavra para sentido 126
C – Outros casos de concordância verbal 126
    1. Sujeito constituído por pronomes pessoais 126
    2. Sujeito ligado por série aditiva enfática 127
    3. Sujeito ligado por *com* 127
    4. Sujeito ligado por *nem... nem* 127
    5. Sujeito ligado por *ou* 127
    6. Sujeito representado por expressão como *a maioria de, a maior parte de* + nome no plural 128
    7. Sujeito representado por *cada um de, nem um de, nenhum de* + plural 128
    8. Concordância do verbo ser 128
    9. Concordância com *mais de um* 130
    10. Concordância com *quais de vós* 130
    11. Concordância com os pronomes relativos 131
    12. Concordância com os verbos impessoais 131
    13. Concordância com *dar* (e sinônimos) aplicado a horas 131
    14. Concordância com o verbo na reflexiva de sentido passivo 132
    15. Concordância na locução verbal 132
    16. Concordância com títulos no plural 132
    17. Concordância no aposto 132
    18. Concordância com *haja vista* 133
    19. Concordância nas expressões de porcentagem 133
    20. Concordância com *ou seja, como seja* 134
    21. Concordância com *a não ser* 134
    22. Concordância nas expressões *perto de, cerca de* e equivalentes 134

23. Concordância com a expressão *que é de* 134
24. Concordância com a expressão *que dirá* 135
25. Concordância em *Vivam os campeões!* 135
26. Concordância em *Já vão, Já vai* 135

Capítulo 19
Regência 136
1. A preposição comum a termos coordenados 136
2. Está na hora da onça beber água 136
3. Eu gosto de tudo, exceto isso *ou* exceto disso 136
4. Migrações de preposição 137
5. Repetição de prefixo e preposição 137
6. Complementos de termos de regências diferentes 137
7. Termos preposicionados e pronomes átonos 137
8. Pronomes relativos preposicionados ou não 137
9. Verbos a cuja regência se há de atender na língua-padrão 138

Capítulo 20
Colocação 143
Pronomes pessoais átonos e o demonstrativo O 143
Critérios para a colocação dos pronomes pessoais átonos e do demonstrativo O 144
    1. Em relação a um só verbo 144
    2. Em relação a uma locução verbal 144
Posições fixas 145
Apêndice 146
    Figuras de sintaxe. Vícios e anomalias de linguagem 146
      I – Figuras de sintaxe ou de construção 146
        1. Elipse 146
        2. Pleonasmo 146
        3. Anacoluto 146
        4. Antecipação ou prolepse 147
        5. Braquilogia 147
        6. Contaminação sintática 147
        7. Expressão expletiva ou de realce 147
        8. Anáfora 147
        9. Anástrofe 148
        10. Assíndeto 148
        11. Hipérbato 148
        12. Polissíndeto 148
        13. Silepse 148
        14. Sínquise 148
        15. Zeugma 149
      II – Vícios e anomalias de linguagem 149
        Solecismo 149
        Barbarismo 149
        Estrangeirismo 149
    Anomalias de linguagem 150

PARTE 5
ESTRUTURA DAS UNIDADES 151

CAPÍTULO 21
ELEMENTOS ESTRUTURAIS DAS PALAVRAS 152
- Morfema 152
- Os diversos tipos de morfema: radical e afixos 152
- Vogal temática: o tema 152
- Morfemas livres e presos 152
- Palavras indivisíveis e divisíveis 153
- Palavras cognatas: família de palavras 153
- Afixos: sufixos e prefixos. Interfixos 153
  - Sufixos 153
  - Prefixos 154
  - Interfixos 154
  - Vogais e consoantes de ligação 154
  - Fenômenos que ocorrem na ligação de elementos mórficos 154
  - Morfema zero 155
  - Acumulação de elementos mórficos 155
  - Neutralização e sincretismo 155
  - A intensidade, a quantidade, o timbre e os elementos mórficos 155
  - Suplementação nos elementos mórficos 156
  - A parassíntese 156
  - Hibridismo 156

CAPÍTULO 22
RENOVAÇÃO DO LÉXICO 157
- Renovação do léxico: criação de palavras 157
- Conceito de composição e de lexia 157
- A derivação 158

CAPÍTULO 23
LEXEMÁTICA 160
- Estruturas secundárias 161
- Alterações semânticas 161
  - 1) Figuras de palavras 161
  - 2) Figuras de pensamento 163
- Outros aspectos semânticos 164
  - 1. Polissemia 164
  - 2. Homonímia 164
  - 3. Sinonímia 164
  - 4. Antonímia 164
  - 5. Paronímia 165

Parte 6
Fonemas: valores e representações. Ortografia 167

Capítulo 24
Fonética e Fonologia 168
- Fonema e alofone 168
- Fonemas não são letras 168
- Vogais e consoantes 169
- Vogais orais e nasais 169
- Classificação das vogais orais 169
- Semivogais. Encontros vocálicos: ditongos, tritongos e hiatos 170
- Consoantes 172
- Classificação das consoantes 172
- Encontro consonantal 173
- Apêndice 174
  - Fonética expressiva ou Fonoestilística 174
    - Os fonemas com objetivos simbólicos 174
    - Aliteração 174
    - Onomatopeia 174
    - Vocábulo expressivo 175
    - Encontros de fonemas que produzem efeito desagradável ao ouvido 175
    - Colisão 175
    - Eco 175
    - Hiato 175
    - Cacofonia ou cacófato 176

Capítulo 25
Ortoepia 177
- Dígrafo 177
- Letra diacrítica 177
- Ortografia e ortoepia 177

Capítulo 26
Prosódia 179
- Acento de intensidade 180
- Vocábulos tônicos e átonos: os clíticos 180
- Palavras que admitem dupla prosódia 182

Capítulo 27
Ortografia 184
- Conceito e princípios norteadores 184
- Sistema ortográfico vigente no Brasil 184

Acentuação gráfica 185
   A – Monossílabos ditos tônicos... 185
   B – Vocábulos de mais de uma sílaba 186
   C – Casos especiais... 186
O emprego do acento grave... 191
O trema 191
O hífen 192
   A — Nos compostos 192
   B — Nas locuções 194
   C — Nas sequências de palavras... 195
   D — Nas formações com prefixos 195
   E — Nas formações com sufixo 197
   F — O hífen nos casos de ênclise, mesóclise (tmese) e com o verbo haver 198
O apóstrofo.. 198
Divisão silábica 199
Emprego das iniciais maiúsculas e minúsculas 199
Nomes próprios 202
Sinais de pontuação: algumas particularidades... 203
   A. Aspas 203
   B. Parênteses 203
   C. Travessão 204
   D. Ponto final 204
Asterisco 204
Apêndice 1 205
   Algumas normas para abreviaturas, símbolos e siglas usuais........................ 205
Apêndice 2 207
   Grafia certa de certas palavras 207
      Cuidado com as seguintes expressões 212

Capítulo 28
Pontuação 213

Parte 7
Para além da Gramática 215

Capítulo 29
Noções elementares de Estilística 216
   Traço estilístico e erro gramatical 216

Capítulo 30
Noções elementares de Versificação 218
   Poesia e prosa... 218
   Versificação... 218
   Como se contam as sílabas de um verso 219

    Fenômenos fonéticos correntes na leitura dos versos 219
    Número de sílabas 219
    Rima 220
    Aliteração 221
    Encadeamento 221
    Paralelismo 221
    Estrofação 221
    Verso de ritmo livre 221

Capítulo 31
Breve história externa da língua portuguesa 222

Capítulo 32
Compreensão e interpretação de textos 224
    Fechando o círculo 224
    Os dez mandamentos para análise de textos num teste de interpretação 224
    Compreensão e interpretação de texto 225
    Três erros capitais na análise de textos 225
        1. Extrapolação 225
        2. Redução 225
        3. Contradição 225
    Linguística textual 225
    Intertextualidade ou polifonia 226
    Tipologia textual 226
        Texto descritivo 226
        Texto narrativo 227
        Texto dissertativo 227

Lista de abreviaturas (autores) 228

Índice de assuntos 230

Prefácio

Quando alguém visita uma cidade pela primeira vez e se hospeda num hotel, depois das formalidades que o hóspede tem de atender, recebe do funcionário da recepção um mapa da cidade. Dessa forma o visitante rapidamente toma conhecimento das ruas, avenidas e praças próximas e afastadas do hotel, habilitando-se com mais eficiência e rapidez a desfrutar dos pontos mais atrativos que a cidade lhe oferecerá.

A leitura de uma gramática para quem quer conhecer uma língua será tão proveitosa quanto foi para o nosso visitante a leitura do mapa da cidade. Isto porque a gramática procura mostrar como os elementos que compõem uma língua se estruturam e se organizam para a elaboração de textos, pelos quais as pessoas se comunicam umas com as outras.

Está claro que o visitante da cidade, no nosso primeiro exemplo, desprezando a consulta ao mapa, poderá chegar a conhecer a cidade; mas, se assim proceder, levará mais tempo e, nas suas andanças, sentirá mais dificuldade de orientação, podendo perder-se muitas vezes ao querer retornar ao hotel.

Assim também, a pessoa que desejar aprender ou se mostrar mais eficiente no manejo da língua poderá dispensar a leitura reflexiva da gramática, e a aprender somente ouvindo e repetindo como falam as pessoas instruídas, ou lendo artigos e livros bem escritos. Mas este caminho lhe exigirá, com certeza, mais tempo e esforço.

Esta obra procura cumprir esse compromisso com o leitor que deseja atingir o conhecimento dos recursos básicos de como funciona a língua portuguesa, mas sem ocultar-lhe a riqueza e potencialidade dos seus recursos expressivos.

Continuamos a contar nesta *Gramática fácil* com a colaboração segura e crítica dos colegas Marcio Gonçalves Coelho, Shahira Mahmud, Fatima Amendoeira Maciel e Rachel Rimas, na convicção de que, como já dizia o grande linguista Jakob Grimm, em tarefas desta natureza mais estamos para aprender do que para ensinar.

Outubro de 2014
Evanildo Bechara

PARTE I

Oração simples, seus termos e representantes gramaticais

INTRODUÇÃO
Fundamentos da teoria gramatical

CAPÍTULO 1
Sujeito e predicado

CAPÍTULO 2
Predicado e seus outros termos constitutivos

CAPÍTULO 3
Expansões do nome e do verbo

Introdução

Fundamentos da teoria gramatical

Há diversos tipos de enunciado, mas nem todos têm a mesma importância para a exposição gramatical, pois a gramática pouco tem de dizer diante de enunciados como: *Bom dia! / Adeus.*

Além de muito depender da situação e do contexto em que se encontram falante e ouvinte, a gramática dirá que *bom* está no masculino e no singular porque *dia* tem o mesmo gênero e número.

Já diante de **Maria das Dores**, *outra xícara de café*, a gramática falará da classe de palavra, do gênero e número de *outra* referidos, por exemplo, a *xícara* e até esboçará a equivalência de tal enunciado, conforme a situação linguística em que se empenham falante e ouvinte, com: Maria das Dores, *traga-me* outra xícara de café.

Dadas as diversas equivalências possíveis, recomenda-se que, diante de enunciado do tipo de *Bom dia!*, não se deva subentender nenhum verbo, alterando assim modos de dizer expressivos, naturais e completos por si mesmos.

A enunciados completos sem verbo a gramática dá o nome de *frase*. Àqueles enunciados com verbo a gramática chama *oração*.

A oração pode transmitir uma declaração do que pensamos, observamos ou sentimos, e neste caso se chama *declarativa* (afirmativa ou negativa): *O dia está agradável. O dia não está agradável.*

Pode encerrar uma pergunta sobre algo que desejamos saber, é a oração *interrogativa*: *O dia está agradável?*

Pode encerrar uma ordem, súplica, desejo ou pedido para que algo aconteça ou deixe de acontecer, chama-se, então, oração *imperativa* (ordem, pedido) ou *optativa* (súplica, desejo): *Sê forte!*; *Queira Deus!*

Pode encerrar o nosso estado emotivo de dor, alegria, espanto, surpresa, desdém, é a oração *exclamativa*: *Ele chegou cedo!*

Obs.: Muitas vezes, o predomínio emocional do falante o leva a combinar a oração exclamativa com um dos tipos anteriores. Daí poder aparecer o ponto de interrogação seguido do de exclamação: *Ele chegou cedo?!*

Importância da oração para a gramática

É a oração que dá condições à gramática para estabelecer relações das sintaxes de concordância, de regência e de colocação.

Constituição das unidades: morfologia

Ao lado dessas relações sintáticas (concordância, regência e colocação), é competência da gramática também estudar *como* aparecem e *por que* aparecem as expressões gramaticais das unidades linguísticas.

A parte da gramática que se ocupa da constituição material das unidades linguísticas chama-se *Morfologia* (*morfo* diz respeito à 'forma', e *logia* traduz a ideia de 'estudo descritivo').

Disciplinas das unidades não significativas

As unidades linguísticas são materialmente constituídas de *fonemas* (vogais, consoantes e semivogais). Embora não sejam dotados de significado, eles ajudam a que essas unidades adquiram significado e se distingam de outras unidades significativas:

*m*ato / *g*ato / *r*ato / *f*ato
t*a*la / t*e*la / t*o*la,

razão por que merecem estudo especial feito pela **Fonética** e **Fonologia**.

Ortoepia, prosódia e ortografia

Na representação oral ou escrita das unidades linguísticas, merecem atenção especial a *Ortoepia* (a correta articulação dos fonemas), a *Prosódia* (a correta posição da sílaba tônica da palavra) e a *Ortografia* (a correta maneira de grafar as palavras no texto escrito).

Disciplina das unidades significativas

Sendo a linguagem um código de comunicação entre as pessoas, é natural que as unidades linguísticas tenham, além de sua expressão material (suas "formas"), seu *significado*, isto é, seu *conteúdo*.

Este conteúdo faz referência a tudo o que existe no mundo em que vivemos, ou ao mundo exclusivo da gramática.

A referência aos "objetos" do nosso mundo se acha expressa por *lexemas*, unidades representadas pelo que conhecemos por *substantivo*, *adjetivo*, *verbo* e *advérbio*. Relacionados a estes estão ainda o *pronome* e o *numeral*.

Pertencem exclusivamente ao mundo da gramática, na condição de **instrumentos gramaticais** que têm por missão articular, no discurso, as unidades acima enumeradas: o *artigo*, a *preposição*, a *conjunção*, além dos *afixos* (prefixos e sufixos) e das *desinências*.

O conteúdo significativo do substantivo, do adjetivo, do verbo e do advérbio, especialmente o de modo, integra o *Léxico* de uma língua, que se acha registrado no *Dicionário*.

Os saberes da competência linguística

A língua não é o único recurso que usamos para nos expressar. A atividade comunicativa pela linguagem para ser perfeita requer que o falante tenha bom desempenho em três domínios do saber, respectivamente: *saber elocutivo*, *saber idiomático* e *saber expressivo*.

O saber elocutivo consiste em falar em conformidade com: a) os princípios gerais do pensamento; b) o conhecimento das coisas existentes no mundo em que vivemos; c) a interpretação do que uma língua particular (no caso aqui, o português) deixa em aberto.

Um exemplo de mau desempenho do saber elocutivo é: *Os cinco continentes são quatro: Europa, Ásia e África*.

O saber idiomático consiste em saber uma língua particular. E saber uma língua é expressar-se em conformidade com o saber tradicional de uma comunidade, com sua norma tradicional, com seu uso tradicional.

Por exemplo, ter consciência de que **tradicionalmente não se diz em português**: *O de Pedro livro* é em vez de *O livro é de Pedro*.

O saber expressivo consiste em saber construir o discurso e o texto conforme as circunstâncias, isto é, levando em conta a situação e a pessoa com quem falamos ou aquela que nos vai ler.

Por exemplo, é inadequado apresentar dessa maneira os pêsames a um colega que perdeu o pai: *Meus sentimentos, colega. Só hoje soube que seu pai bateu as botas*.

Língua exemplar ou padrão

Uma língua histórica, como o português, está constituída de várias "línguas" mais ou menos próximas entre si, mais ou menos diferenciadas, mas que não chegam a perder a configuração de que se trata "do português" quer na convicção de seus falantes nativos, quer na convicção dos falantes de outros idiomas. Há uma *diversidade* na *unidade*, e uma *unidade* na *diversidade*. Cada variedade constitui uma língua "funcional", isto é, uma variedade de língua que funciona efetivamente entre os falantes de uma determinada porção da sociedade.

Pode-se desenvolver dentro da língua comum um tipo de outra língua comum, mais disciplinada, normatizada idealmente, mediante a eleição de usos fonético-fonológicos, gramaticais e léxicos como padrões exemplares a toda a comunidade e a toda a nação. É a modalidade a que Coseriu chama *língua exemplar*, também dita *língua-padrão*.

Há de distinguir-se cuidadosamente o *exemplar* do *correto*, porque pertencem a planos conceituais diferentes. Quando se fala do exemplar, fala-se de uma forma eleita entre as várias formas de falar que constituem a língua histórica, razão por que o eleito não é nem correto nem incorreto. É apenas um uso em consonância com a etiqueta social.

Já quando se fala do correto, que é um juízo de valor, fala-se de uma conformidade com tal ou qual língua funcional de qualquer variedade regional, social e de estilo.

Por exemplo: há variedades de línguas funcionais em que o normal é empregar-se *Hoje é cinco* ou *Cheguei no trabalho*. Nessas variedades, tais práticas são *corretas*; todavia, na língua exemplar, a eleição tendeu para *Hoje são cinco* ou *Cheguei ao trabalho*. Confunde conceitos quem considera como *corretas* apenas as duas últimas construções eleitas.

A gramática dita normativa só leva em conta a língua exemplar. Tanto o correto como o exemplar integram a competência linguística geral dos falantes. A competência linguística ideal é aquela que põe o falante na condição de ser *um poliglota na sua própria língua,* **isto é, estar em condições de se expressar adequadamente na sua variedade e também entender a variedade em que se expressa a pessoa com quem se comunica.**

Capítulo I
Sujeito e predicado

Sujeito e predicado

Sem verbo não temos oração. É o verbo, núcleo da declaração, ou da predicação verbal, que vai exigir a presença de outros termos componentes da oração. A referência expressa no verbo se chama *predicado* da oração. E o termo referente dessa predicação se chama *sujeito*: *Eu* estudo. *Tu* brincas. Estudamos (sujeito *nós*).

Em português, em geral não são explicitados os sujeitos quando representados por desinências verbais, especialmente de 1.ª e 2.ª pessoas: *Ando* pouco (eu). *Fizeste* os deveres? (tu)

Quando há ênfase ou oposição de pessoa gramatical, não se recomenda a omissão do pronome sujeito: Enquanto *eu estudo, tu brincas*.

Sujeito simples e composto

O sujeito referido na predicação pode ser *simples* ou *composto*. Diz-se que o sujeito é simples quando só tiver um *núcleo*.

Obs.: **Núcleo** é o termo fundamental ou básico de uma função linguística. Só com ele, em geral, é que os outros termos da oração contraem a relação gramatical de concordância.

O sujeito simples pode constituir-se de uma ou mais palavras, mas só terá um núcleo: O meu **livro** de Português *está emprestado*. (O sujeito é **O meu livro de Português**. O núcleo deste sujeito simples é *livro*.)

Diz-se que o sujeito é composto quando tiver mais de um núcleo: O **canto** dos pássaros e a **riqueza** da vegetação *encantam os amantes da natureza*. (O sujeito é **O canto dos pássaros e a riqueza da vegetação**. Os núcleos deste sujeito composto são **canto** e **riqueza**.)

Princípios gerais de concordância verbal

O verbo concorda com o sujeito explícito em pessoa e número, segundo os seguintes princípios gerais:

a) sujeito simples constituído por pronome pessoal: o verbo irá para a pessoa e número do sujeito explícito: Eu quero / Nós queremos.
b) sujeito simples constituído por substantivo, palavra ou expressão substantivada: o verbo irá para a 3.ª pessoa e para o número em que se achar o núcleo do sujeito, ainda que seja um coletivo: As meninas *ainda não* chegaram. / A gente viaja *hoje*.
c) sujeito composto constituído por substantivos: o verbo irá para 3.ª pessoa do plural, qualquer que seja a sua posição em relação ao verbo: O menino e a menina conheciam a vizinhança. / Eram conhecidos o menino e a menina.
d) sujeito composto constituído por pronomes pessoais, ou por pronome + substantivo: o verbo irá para a 1.ª pessoa do plural, se houver um pronome de 1.ª pessoa (*eu* ou *nós*): Eu e tu iremos *ao cinema*. / Nós e ele iremos *ao cinema*; irá para a 2.ª ou 3.ª pessoa do plural, se não houver pronome da 1.ª pessoa: Tu e ele irão (ou ireis, hoje mais raro) *ao cinema*; irá para a 3.ª pessoa do plural, se não houver pronome da 1.ª ou da 2.ª pessoa: Ele e Janete irão *ao cinema*.

Posição do predicado e do sujeito

O sujeito composto pode vir antes ou depois do predicado: O menino e a menina *eram conhecidos*. / *Chegarão hoje de Lisboa* meu tio e meu primo.

A língua portuguesa permite esta liberdade na colocação dos termos oracionais, desde que não se mude o conteúdo da mensagem ou não se traga dificuldade na sua interpretação: *O caçador feriu o leão* não é a mesma coisa de *O leão feriu o caçador*.

Nestas possibilidades de colocação do sujeito e do predicado, entra em ação o nosso saber elocutivo. Assim, pode-se dizer *A floresta iluminava o sol* e *O sol iluminava a floresta*, pois sabemos que o sol ilumina a floresta, e nunca ocorre o contrário.

A ordem sujeito-predicado chama-se *direta*; a ordem predicado (ou um dos seus componentes)-sujeito chama-se *inversa*.

O emprego da vírgula

Não se separam por vírgula o sujeito e o verbo do predicado.
Se houver separação dos dois termos por intercalação de outros termos, então se poderá usar a vírgula para marcar a sequência interrompida: Os bons alunos, *durante o ano todo*, merecem os elogios dos colegas.
É preciso cuidado especial na concordância, quando se pratica a ordem inversa: *Saiu-se* (em vez da forma correta *saíram-se*) mal hoje *os jogadores* do meu time. Evite-se este engano.

Oração sem sujeito

Pela mesma natureza semântica e sintática, é fácil concluirmos que em algumas orações não temos predicação referida a nenhum sujeito: *Chove pouco no Nordeste.*

Estas orações se dizem *sem sujeito*, e os verbos de predicação não referida a sujeito se chamam *impessoais*.

Os principais verbos ou expressões impessoais da nossa língua são:
a) os que denotam fenômenos atmosféricos ou cósmicos, como: chover, trovejar, relampejar, nevar, anoitecer, fazer (frio, calor, sol, etc.), estar (frio, quente, etc.), entre outros: *Trovejou muito ontem./ Fez dez graus esta noite.*
b) *haver* e *ser* em orações equivalentes às constituídas com *existir*, do tipo de: *Há bons livros. / Eram vinte pessoas no máximo.*
c) *haver, fazer* e *ser* nas indicações de tempo: *Há cem anos nasceu meu avô. / Faz cinco anos não aparece aqui. / É uma hora. / São duas horas.*
d) *bastar, chegar + de* (nas ideias de suficiência): *Basta de histórias. / Chega de promessas.*
e) *ir* acompanhado das preposições *em* ou *para* exprimindo o tempo em que algo acontece ou aconteceu: *Vai em dois anos ou pouco mais.*
f) *vir* e *andar* acompanhados das preposições *por* ou *a* exprimindo o tempo em que algo acontece: *Andava por uma semana* que não comparecia às aulas.
g) *passar* acompanhado da preposição *de* exprimindo tempo: *Já passava de duas horas.*
h) *tratar-se* acompanhado da preposição *de* em construções do tipo: *Trata-se de assuntos sérios.*

Atenção: *Trata-se de assuntos sérios* (oração sem sujeito) exemplifica um caso diferente de *Precisa-se de empregados* (sujeito indeterminado). Neste último, o emprego do pronome *se* junto ao verbo faz com que a oração passe a equivaler a outra que tem por sujeito *alguém, a gente*: *Alguém precisa de empregados*. O mesmo não acontece com o verbo *tratar-se*.

A principal característica dos verbos e expressões impessoais é que (salvo em alguns casos o verbo *ser*) aparecem, na língua exemplar, sempre na 3.ª pessoa do singular.

Faz exceção o verbo *ser* em construções do tipo: *São duas horas. / Eram vinte pessoas no máximo.* (Ver páginas 28 a 32.)

Evite-se dizer *Haviam várias pessoas. / Devem haver soluções para tudo.* Prefira: *Havia várias pessoas. / Deve haver soluções para tudo.* (É importante lembrar que a impessoalidade do verbo principal se transmite ao verbo auxiliar.)

Sujeito indeterminado

Há orações que não apresentam nenhuma unidade linguística para ocupar a casa ou função de sujeito. Todavia, nelas há uma referência a sujeito, mas só de maneira indeterminada, imprecisa: *Estão batendo à porta.* / *Precisa-se de empregados.* Diz-se nestes casos que o sujeito é indeterminado.

A língua portuguesa procede de três maneiras na construção de orações com sujeito indeterminado:

a) verbo na 3.ª pessoa do plural sem referência a qualquer termo que, anterior ou seguinte, lhe sirva de sujeito: Nunca me *disseram* isso.

b) verbo na 3.ª pessoa do singular com valor de 3.ª pessoa do plural, nas mesmas circunstâncias do emprego anterior. Este uso do singular é menos frequente que o do plural: *Diz* que o fato não aconteceu assim. (diz = dizem)

c) verbo na 3.ª pessoa do singular acompanhado do pronome **se**, originariamente reflexivo, não seguido ou não referido a substantivo que sirva de sujeito do conteúdo predicativo. Trata-se de um sujeito indiferenciado, referido à massa humana em geral; dizemos, neste caso, que o **se** é *índice de indeterminação do sujeito* ou *pronome indeterminador do sujeito*: *Vive-se* bem aqui. / *Precisa-se* de empregados.

Atenção: Cuidado especial há que se ter em construções do tipo *Alugam-se casas.* / *Consertam-se bicicletas*, onde o *se* não é índice de indeterminação, mas sim pronome apassivador. O sujeito do verbo na voz passiva pronominal é geralmente um nome de coisa, um ser inanimado, incapaz de praticar a ação expressa pelo verbo. Na voz passiva pronominal, o verbo pode estar na 3ª. pessoa do singular ou do plural, para concordar com o sujeito: em *Alugam-se casas*, o sujeito é *casas*. Já em *Precisa-se de empregados*, não há voz passiva; *de empregados* é objeto indireto e não leva o verbo ao plural. Os verbos transitivos indiretos e os intransitivos não se constroem na passiva, porque só o objeto direto da ativa pode transformar-se em sujeito da passiva.

> Observação:
>
> ➥ A indeterminação do sujeito nem sempre significa nosso desconhecimento dele; serve também de manobra inteligente de linguagem, quando não nos interessa torná-lo conhecido, como em situações do tipo: Pedro, *disseram-me* que você falou mal de mim.

Muitas vezes, o nosso saber do mundo percebe que se trata de uma só pessoa a praticar a ação verbal, mas se usa o plural por ser a norma frequente da indeterminação do sujeito: *Estão batendo à porta.*

Por fim, evite um cacoete de expressão que se propaga principalmente na língua falada: a repetição do sujeito por meio dos pronomes *ele, eles, ela, elas*:

O vizinho, *ele* não aceita mais desculpas. (E sim: *O vizinho não aceita mais desculpas.*)

A pátria, *ela* precisa de seus filhos. (E sim: *A pátria precisa de seus filhos.*)

Os erros, *eles* nos aprisionam para sempre. (E sim: *Os erros nos aprisionam para sempre.*)

Capítulo 2

Predicado e seus outros termos constitutivos

Predicado simples e complexo

A natureza semântico-sintática do verbo pode encerrar-se nele mesmo, em face da sua significação muito definida, como ocorre nas seguintes orações: Isabel *dorme*. / A temperatura *desceu*.

Nestes casos, dizemos que é um predicado **simples** ou **incomplexo**.

Se, entretanto, a significação do verbo for muito ampla, torna-se necessário delimitá-la mediante um termo complementar: Clarice comprou *livros*. / Diva gosta *de Teresópolis*.

Nestes casos, dizemos que é um predicado **complexo**.

Desta maneira, torna-se necessário delimitar a coisa comprada: *comprou livros* (e não **um vestido**, **um carro**, etc.). A este termo delimitador da significação do verbo chama-se *complemento verbal*, e pode não estar introduzido por preposição pedida pelo verbo (*Clarice comprou* **livros**) ou estar introduzido por preposição (*Diva gosta* **de Teresópolis**).

Verbo intransitivo e transitivo

O verbo de significação definida, que não exige complemento verbal, chama-se *intransitivo*: **dorme** e **desceu** foram empregados como intransitivos.

O verbo que é empregado acompanhado de complemento verbal chama-se *transitivo*: **comprou** e **gosta** foram empregados como transitivos.

Embora seja um verbo empregado normalmente como intransitivo ou transitivo, a língua permite que um intransitivo possa ser empregado transitivamente ou que um transitivo seja empregado intransitivamente: Clarice **dorme** o sono dos inocentes. / Clarice **compra** no supermercado.

Portanto, é o **emprego** na oração que assinalará se o verbo aparece como intransitivo ou transitivo.

Objeto direto e complementos preposicionados

O complemento verbal não introduzido por preposição chama-se *objeto direto*: em *Eduardo viu o primo*, o objeto direto é *o primo*.

Ao complemento verbal introduzido por preposição necessária chamaremos, por enquanto, *complemento preposicionado*, assim, em *Diva gosta de Teresópolis* e *Márcio assistiu ao jogo, de Teresópolis* e *ao jogo* são complementos preposicionados *de Teresópolis* e *ao jogo*.

Dizemos que a preposição é necessária quando a sua não presença ou provoca um uso incorreto da língua ou da modalidade exemplar, ou altera o significado do verbo. A preposição *de* é necessária em *Diva gosta de Teresópolis*, porque, se usarmos sem preposição *Diva gosta Teresópolis*, estaremos cometendo um erro de português, pois se tratará de uma construção anormal em nossa língua, em qualquer das suas variedades.

Já o não emprego da preposição *a* em *Márcio assistiu o jogo* muda, na norma da língua exemplar, o significado do verbo *assistir*. Na norma da língua exemplar, há *assistir ao jogo*, 'presenciá-lo', 'vê-lo', e *assistir o doente*, 'prestar-lhe assistência', 'socorrê-lo'. Como o verbo está empregado no primeiro significado, deve-se dizer *Márcio assistiu ao jogo*. Nas variedades informal e popular, só há o emprego do verbo *assistir* no significado de 'presenciar', 'ver', e só aparece construído sem preposição *a*: *assistir o jogo, assistir a cena*.

Como disse Silva Ramos numa das epígrafes deste livro, devemos ler diariamente os escritores modernos para fixar os devidos complementos.

Objeto direto preposicionado

O objeto direto é o complemento verbal não introduzido por preposição. Mas, às vezes, a preposição aparece sem ser necessária, e assim pode ser dispensada. Diz-se, então, que o objeto direto é *preposicionado*. Eis os principais casos em que isto pode ocorrer:
   a) quando o verbo exprime sentimento ou manifestação de sentimento, e o objeto direto designa a pessoa ou ser animado: Amar *a Deus* sobre todas as coisas. (= *Amá-lo sobre todas as coisas*.)
   b) quando se deseja assinalar claramente o objeto direto nas inversões: *Ao leão* feriu o caçador.

Há três casos em que a preposição junto ao objeto direto é obrigatória:
   a) quando está representado por pronome pessoal oblíquo tônico: Entendemos *a ele* muito bem. (= nós o entendemos);
   b) quando está representado pela expressão de reciprocidade *um ao outro*: Conhecem-se *um ao outro*. (= eles se conhecem);
   c) quando o objeto direto é composto, sendo o segundo núcleo representado por substantivo: Conheço-o e *ao pai*.

Quando há, por ênfase, repetição do objeto direto mediante substantivo, o emprego da preposição antes deste substantivo complemento é facultativo: *Ao mau amigo* não o prezo. (= *O mau amigo não o prezo*.)

Às vezes, a preposição que acompanha o objeto direto tem por função dar certo colorido semântico ao verbo: Chamar *por Nossa Senhora*. (= *chamar para pedir proteção*)

À preposição com esta função chama-lhe Antenor Nascentes *posvérbio*.

Complementos verbais preposicionados

A tradição gramatical, confirmada pela *Nomenclatura Gramatical Brasileira*, chama *objeto indireto* a todo complemento verbal introduzido por preposição necessária. Mas entendemos que a língua parece indicar dois tipos distintos de complemento verbal preposicionado.

1) O complemento relativo que se identifica:
a) pela delimitação *imediata* da significação ampla do verbo: *gostar de x, assistir a x*;
b) pela possibilidade de acompanhamento por qualquer preposição exigida pela significação do verbo: *de* em *gostar de* indica a "origem" do afeto, *a* em *assistir a* indica "direção" ao ser visualizado, *em* indica "lugar", no exemplo *Marcelinho pôs o livro em cima da mesa*;[1]
c) pela impossibilidade de se substituir o complemento preposicionado pelo pronome pessoal átono *lhe*: a substituição só é possível mediante pronome pessoal tônico *ele, ela, eles, elas* precedido da preposição pedida pelo verbo: *Diva gosta de Teresópolis → Diva gosta dela* (da cidade).

2) Já o objeto indireto se distingue:
a) pela delimitação *mediata* da significação do verbo: O escritor dedicou o romance *à sua esposa*;
b) pelo aparecimento exclusivo da preposição *a* (raramente *para*) como introdutora de tais complementos verbais: *à sua esposa*;
c) pela possibilidade de se substituir este complemento verbal preposicionado pelo pronome pessoal átono *lhe*, que marca apenas o número do substantivo comutado (*lhe, lhes*): *O escritor dedicou o romance à sua esposa → O escritor dedicou-lhe o romance*.

Predicativo

Outro tipo de complemento verbal é o **predicativo**, que delimita a natureza semântico-sintática de um reduzido número de verbos: *ser, estar, ficar, parecer, permanecer* e mais alguns, conhecidos como *verbos de ligação*. Às vezes vem introduzido por preposição: *Brasília é a capital. / A casa ficou em ruínas*.

O predicativo difere dos complementos anteriores pelas características seguintes:
a) é expresso por substantivo, adjetivo, pronome, numeral ou advérbio;
b) concorda com o sujeito em gênero e número, quando flexionável;

---

[1] Por esta razão, já houve quem assinalasse a íntima relação desse complemento preposicionado com a circunstância adverbial.

c) é comutado pelo pronome invariável *o*: *O aluno é estudioso.* → *O aluno o é.* / *A aluna é estudiosa* → *A aluna o é.*

Como ocorre com os predicados até aqui estudados, pode a predicação com predicativo ser referida a um sujeito ou não: *O aluno é estudioso.* (sujeito: *o aluno*) / *É noite.* (oração sem sujeito)

Obs.: Ocorre o mesmo com a expressão das horas, em oração sem sujeito seguida de predicativo: *Já são três horas? — Já o são.*

Além do predicativo que acompanha os chamados verbos de ligação, há outro que acompanha qualquer tipo de verbo e se refere tanto ao sujeito quanto ao objeto direto, ao complemento relativo e ao objeto indireto, com os quais também concorda em gênero e número: *O vizinho caminha preocupado.* / *Encontraste a porta aberta.* / *Trata-se da questão como insolúvel.* / *Não lhe chamávamos professor.*

Os predicativos deste tipo diferem dos que acompanham os verbos de ligação porque não são comutáveis pelo pronome invariável *o*: *O vizinho caminha preocupado.* / *O vizinho o caminha.*[2] *(comutação impossível)*

Para representar este tipo de predicativo, usa-se um advérbio, como *assim*: *O vizinho caminha preocupado.* → *O vizinho caminha assim.*

Por isso é que podemos ter a construção com predicativo ao lado da construção com advérbio: *A cerveja que desce redonda.* (*redonda*, adjetivo, predicativo) / *A cerveja que desce redondo.* (*redondo*, advérbio, não é predicativo)

Observação:

▶ Uma tradição mais recente na gramática portuguesa, incorporada pela NGB, distingue o predicado em *verbal* (quando constituído por qualquer tipo de verbo, exceto o de ligação), *nominal* (quando se trata de verbo de ligação + predicativo) e *verbonominal* (quando se trata de verbo que não seja de ligação + predicativo). Não seguimos essa tradição, porque entendemos que toda relação predicativa que se estabelece na oração tem por núcleo um verbo. É esta, por sinal, a lição dos nossos primeiros grandes gramáticos, que não faziam tal distinção, e de notáveis linguistas modernos.

Complemento de agente da passiva

É o *complemento* pelo qual se faz referência a quem pratica a ação sobre o sujeito paciente, na voz passiva: *O livro foi escrito por Graciliano Ramos.*

---

2 O uso de * significa que a expressão não está documentada ou é hipotética.

Voz passiva é a forma que o verbo assume para indicar que o sujeito sofre a ação por ele indicada. Em nosso exemplo, *o livro*, sujeito de *foi escrito*, não pratica a ação, mas recebe-a, sofre-a; quem a pratica é *Graciliano Ramos*, que, por isso mesmo, se diz *agente da passiva*.

Na chamada *voz ativa*, o agente da passiva passa a sujeito, enquanto o sujeito da passiva passa a objeto direto. Daí, normalmente, essa mudança de voz só ocorrer com o verbo transitivo direto: *O livro foi escrito por Graciliano Ramos* (voz passiva) → *Graciliano Ramos escreveu o livro* (voz ativa).

O complemento agente da passiva é introduzido pela preposição *por* e, nas formas combinadas com artigo, pela forma antiga *per* (*pelo, pela, pelos, pelas*): A República foi proclamada *pelo general Deodoro da Fonseca*.

Com verbos que exprimem sentimento, pode aparecer neste emprego a preposição *de*: O professor é estimado *de todos* (ou *por todos*).

Capítulo 3

Expansões do nome e do verbo

Noção de adjunto

Chama-se **adjunto** o termo sintático não obrigatório, cuja missão é ampliar a informação ou o conhecimento do núcleo que integra o sujeito e o predicado com seus complementos.

Adjunto adnominal

A expansão do núcleo substantivo chama-se *adjunto adnominal* e está fundamentalmente representado por um adjetivo, locução adjetiva ou unidade equivalente: *Bons* ventos o tragam! / Palavra *de rei* não volta atrás.

Tal adjetivo pode ser acompanhado de determinantes que, englobadamente com ele, se classificam como adjunto adnominal: *Os bons* ventos o tragam! / *Todos os meus três* amigos chegaram hoje.

Adjunto adverbial

A expansão do núcleo pode dar-se mediante um adjunto adverbial, representado formalmente por um advérbio ou expressão equivalente. Semanticamente exprime uma circunstância e sintaticamente representa uma expansão do verbo, do adjetivo ou do advérbio: Paula estudou *muito*. / O mar está *muito* azulado. / Bebel dançou *muito* bem.

Chamam-se *circunstâncias* em gramática as unidades linguísticas que, referindo-se à significação do verbo, assinalam o modo, o tempo, o lugar, a causa, etc.: Jantamos *ontem* (circunstância de tempo), *no clube* (circunstância de lugar), *na companhia de vários amigos* (circunstância de companhia), *por motivo do aniversário de nosso tio* (circunstância de causa).

O adjunto adverbial pode ser expresso por advérbios (*ontem*) ou por locuções adverbiais (*no clube*, etc.).

Os que exprimem intensidade podem, além do verbo, modificar adjetivos e advérbios: Ela é *muito* inteligente. / O professor jantou *muito* cedo.

Complemento nominal

O verbo pode passar a ser representado por substantivo, por exemplo: *O ladrão fugiu do presídio* pode passar a uma estrutura derivada do tipo de: *A fuga do ladrão do presídio*. Assim também a oração *O vizinho comprou um quadro célebre* pode passar à estrutura derivada: *A compra de um quadro célebre pelo vizinho*. Neste último exemplo o verbo passa a ser representado pelo substantivo *compra*; o objeto direto (*um quadro célebre*) passa a complemento preposicionado; e o sujeito (*o vizinho*) continua agente.

Tais formas derivadas pela passagem de um verbo a nome (processo chamado *nominalização*) dão ensejo ao aparecimento de um complemento preposicionado desse mesmo substantivo, chamado *complemento nominal*: *do ladrão* e *de um quadro célebre* são complementos nominais de *fuga* e *compra*, respectivamente.

Ocorre complemento nominal também com adjetivos (e advérbios seus derivados): *O jogador mostrou-se responsável* pela situação. / *A situação mostrou-se desfavoravelmente* a todos. (*desfavoravelmente*, advérbio derivado do adjetivo *desfavorável*)

Nestes casos fica muito patente que os termos preposicionados funcionam como complemento nominal dos adjetivos e dos advérbios. Mas, se se trata de substantivo, pode ocorrer dúvida se estamos diante de complemento nominal ou de adjunto adnominal. Como fazer a distinção?

Formalmente, o complemento nominal se assemelha ao adjunto adnominal, quando em ambos temos a estrutura substantivo + preposição + substantivo: *a chegada do trem* / *a casa do vizinho*.

A diferença consiste em que o complemento nominal *do trem* em *a chegada do trem* resulta da nominalização de *o trem chegou*, o que não se dá com o adjunto adnominal *do vizinho* em *a casa do vizinho*.

Aposto

É o termo de natureza substantiva que se usa para explicar ou explicitar outro termo de natureza substantiva: Titio, *irmão do papai*, chega hoje de Porto Alegre.

O aposto pode estar ligado diretamente ao seu termo fundamental, e neste caso restringe o conteúdo semântico genérico do fundamental, valendo como um modificador, mas sendo substantivo, e não adjetivo.

Este aposto explicativo pode apresentar valores secundários que merecem descrição especial, como:

a) Aposto enumerativo

Quando a explicação consiste em desdobrar o fundamental representado por um dos pronomes (ou locuções) *tudo*, *nada*, *ninguém*, *cada um*, *um e outro*, etc., ou por substantivos: Tudo — *alegrias, tristezas, preocupações* — ficava estampado logo no seu rosto.

Às vezes este tipo de aposto precede o fundamental: *A matemática, a história, a língua portuguesa*, nada tinha segredos para ele.

Em todos estes exemplos, o fundamental (*tudo*, *nada*) funciona como sujeito das orações e, por isso, se estabelece a concordância entre ele e o verbo.

b) Aposto distributivo

Quando marca uma distribuição de alusões no período:

Machado de Assis e Gonçalves Dias são os meus escritores preferidos, *aquele na prosa e este na poesia*.

c) Aposto circunstancial

Quando expressa comparação, tempo, causa, etc., precedido ou não de palavra que marca esta relação, já que este aposto acrescenta um dado a mais acerca do fundamental:

"As estrelas, *grandes olhos curiosos*, espreitavam através da folhagem." [EQ]

Obs.: Muitas vezes, em construção do tipo *O rio Amazonas*, a língua permite a alternância do aposto com o adjunto adnominal introduzido pela preposição *de*.

Assim, a norma permite a construção com aposto em: *O rio Amazonas*, mas com adjunto adnominal em: *Ilha de Marajó*.

Vocativo: uma unidade à parte

Desligado da estrutura da oração e desta separado por curva de entoação exclamativa, o *vocativo* cumpre uma função apelativa de 2.ª pessoa, pois, por seu intermédio, chamamos ou pomos em evidência a pessoa ou coisa a que nos dirigimos: *José*, vem cá! / Tu, *meu irmão*, precisas estudar!

O vocativo pode estar precedido de *ó* (e não *oh!*): *Ó José*, vem cá!

Funções sintáticas e classes de palavras

Vimos até aqui ressaltando que as funções sintáticas dos termos da oração se acham representadas normalmente pelas espécies de classes de palavras conhecidas por substantivos, adjetivos, artigos, pronomes, numerais, verbos e advérbios, ou marcadas por instrumentos gramaticais, como é o caso das preposições e conjunções, ou pela sua disposição à esquerda e à direita do verbo, que é o núcleo fundamental da oração.

Observação:

➥ As funções estão sempre relacionadas com as classes de palavras, mas uma palavra não é substantivo, por exemplo, porque funciona como sujeito; pelo contrário, pode ser sujeito porque é um substantivo ou seu equivalente.

Daí, torna-se importante o conhecimento das diversas classes de palavras existentes na língua portuguesa: *substantivo, adjetivo, pronome, artigo, numeral, verbo, advérbio, preposição* e *conjunção*.

A tradição gramatical tem incluído aí a *interjeição*; entretanto, a interjeição não é, a rigor, uma *palavra*, mas uma *palavra-frase*, que só por si vale por um conteúdo de pensamento da linguagem emocional.

PARTE 2

As unidades do enunciado: formas e empregos

Capítulo 4
Substantivo

Capítulo 5
Adjetivo

Capítulo 6
Artigo

Capítulo 7
Pronome

Capítulo 8
Numeral

Capítulo 9
Verbo

Capítulo 10
Advérbio

Capítulo 11
Preposição

Capítulo 12
Conjunção

Capítulo 13
Interjeição

Capítulo 4

Substantivo

Substantivo

É a classe de palavra que se caracteriza por significar o que convencionalmente chamamos *objetos substantivos*, isto é, substâncias (*homem, casa, livro*) e quaisquer outros objetos mentalmente apreendidos como substâncias, quais sejam qualidades (*bondade, maldade, rapidez*), estados (*saúde, doença*), processos (*chegada, entrega, aceitação*). Qualquer palavra tomada materialmente pode substantivar-se (o *se*, o *de*, o *não*, o *porquê*) e estará sujeita às regras de flexão e derivação dos substantivos (os *ses*, os *des*, os *nãos*, os *sins*, os *porquês*).

Concretos e abstratos

A tradição gramatical divide os substantivos em *concretos* e *abstratos*. Os concretos são *próprios* e *comuns*.

Substantivo concreto é o que designa ser de existência independente; nomeia pessoas, lugares, animais, vegetais, minerais e coisas: *casa, mar, sol, automóvel, filho, mãe*.

Substantivo abstrato é o que designa ser de existência dependente; designa ação (*beijo, trabalho, saída*), estado (*cansaço, doença, felicidade*) e qualidade (*prazer, beleza*), considerados fora dos seres, como se tivessem existência individual: *prazer, beijo, trabalho, saída, beleza, cansaço*, mas cuja existência depende de pessoa ou coisa que dê ou apresente prazer, beijo, trabalho, e assim por diante.

É muito frequente o emprego de substantivos abstratos como concretos quando aplicados a nomes de coisas relacionadas com o ato ou qualidade que designam. Quando dizemos que o país precisa de *inteligências*, facilmente percebemos que o substantivo abstrato está usado concretamente, para designar as pessoas inteligentes.

Próprios e comuns

Dividem-se os substantivos em *próprios* e *comuns*, divisão que pertence a planos diferentes.

Substantivo próprio é o que se aplica a um objeto ou a um conjunto de objetos, *mas sempre individualmente*. Os substantivos próprios mais importantes são os *antropônimos* e os *topônimos*. Os primeiros se aplicam às pessoas que, em geral, têm *prenome* (nome próprio individual) [João] e *sobrenome* ou *apelido* (que situa melhor o indivíduo em função da sua proveniência geográfica [Frei Henrique de Coimbra], da sua profissão [Caeiro], da sua filiação (patronímico) [Soares, filho de Soeiro], de uma qualidade física ou moral [Diogo Cão], de uma circunstância de nascimento [Neto]).[3]

Os topônimos se aplicam a lugares e acidentes geográficos.

Substantivo comum é o que se aplica a um ou mais objetos particulares que reúnem características comuns inerentes a dada classe: *homem, mesa, livro, cachorro, lua, sol, fevereiro, segunda-feira, papa*.

Observação:

➥ Nomes empregados no plural com referência a uma pluralidade de seres que individualmente têm o mesmo nome (os *Antônios*, as *Marias*, as *Romas*), ou que se aplicam ao conjunto de membros de uma mesma família ou nacionalidade (os *Azevedos*, os *Maias*), ou que significam "entes como..." (os *Tiradentes*, os *Ruis*, os *Pelés*, os *Eldorados*), ou, ainda, aos objetos designados pelos nomes dos autores, fabricantes, produtores (os *Rembrandts*, os *Machados de Assis* e os *Fords*) são na realidade nomes da "classe" e, portanto, substantivos comuns. A inicial maiúscula aqui empregada se explica por convenção ortográfica.

Quando não nos prendemos apenas à pessoa ou coisa nomeada, mas observamos-lhes qualidades e defeitos que se podem transferir a um grupo mais numeroso de seres, o nome próprio passa a comum: *Judas*, o nome de um dos doze apóstolos, aquele que traiu Jesus, é também a encarnação mesma do *traidor*, do *amigo falso*, em expressões do tipo: *Fulano é um judas*.

Da mesma forma passam a substantivos comuns os nomes próprios de fabricantes e de lugares onde se fazem ou se fabricam certos produtos: *estradivários* (= violino de Stradivarius).

Coletivos

São coletivos e nomes de grupo usuais: por exemplo, caravana, clientela, colmeia, rebanho, etc.

---

3   Cão, em Diogo Cão, aludia à brancura (latim *canus*) do cabelo e barba. Caeiro, isto é, caieiro, 'o que faz cal' ou 'fornece cal'.

> Observação:
>
> ➡ Não se confundir com os coletivos os *nomes de grupo* (*bando, rebanho, cardume,* etc.), embora assim o faça a gramática tradicional.
> Na realidade, os nomes de grupo são nomes de conjunto de objetos contáveis, que se aplicam habitualmente ou a uma espécie definida (*cardume, alcateia, enxame*) ou total ou parcialmente indefinida (*conjunto, grupo, bando: bando de pessoas, de aves, de alunos*). Ao contrário dos coletivos, os nomes de grupo, principalmente os que se referem à espécie indefinida, requerem determinação explícita do tipo de objeto que compõe o conjunto: *um **bando** de pessoas, de adolescentes*, etc.; *um **cardume** de baleias, de sardinhas*, etc. Já não seria possível *um vinhedo de vinhas*.

Os substantivos distinguem-se em

1. Número

É a categoria gramatical que se refere aos objetos substantivos considerando-os na sua unidade da classe a que pertencem (é o número *singular*) ou no seu conjunto de dois ou mais objetos da mesma classe (é o número *plural*).

2. Gênero

A nossa língua conhece dois gêneros para o substantivo: o *masculino* e o *feminino*.
São masculinos os nomes a que se pode antepor o artigo *o* (*o linho, o sol, o clima, o poeta, o grama, o pente, o raio, o prazer, o filho, o beijo, o elefante*) e são femininos os nomes a que se pode antepor o artigo *a* (*a linha, a lua, a grama, a ponte, a poetisa, a filha, a dor, a elefanta*).

> Observações:
>
> ➡ Mais modernamente, usa-se a forma *poeta* aplicada a *poetisa*: *a poeta* Cecília Meireles.
>
> ➡ A forma *ladra* não efetiva a flexão feminina morfológica de *ladrão*. Suas flexões são *ladroa* e *ladrona*. *Ladra* é o feminino do substantivo e adjetivo *ladro*, que acabou desviando-se da sua referência à 'pessoa que rouba ou subtrai algo', deixando nessa referência apenas a sua forma feminina *ladra*.

▶ *Elefoa* e *aliá*, apesar de forte tradição gramatical e lexicográfica, não têm hoje aprovação geral, devendo, assim, ser evitados, pela pouca documentação.

▶ O substantivo *personagem* é de dois gêneros. Podemos dizer *a personagem* ou *o personagem* tanto para o sexo masculino quanto para o feminino: *a personagem* Bentinho ou *o personagem* Bentinho; *a personagem* Capitu ou *o personagem* Capitu.

A distinção do gênero nos substantivos só tem fundamento na tradição fixada pelo uso e pela norma; nada justifica serem, em português, masculinos *lápis, papel, bolo* e femininos *caneta, folha, bola*.

Mesmo nos seres animados, as formas de masculino ou de feminino podem não determinar a diversidade de sexo, como ocorre com os substantivos chamados *epicenos* (aplicados a animais irracionais), cuja função semântica é só apontar para a espécie: *a cobra, a lebre, a formiga, o tatu, o colibri, o jacaré*, ou os substantivos aplicados a pessoas, denominados *comuns de dois*, distinguidos pela concordância: *o / a **estudante**; este / esta **consorte**; reconhecido / reconhecida **mártir***, ou ainda os substantivos de um só gênero, denominados *sobrecomuns*, aplicados a pessoas cuja referência a homem ou a mulher só se depreende pela referência do contexto: *o **algoz**, o **carrasco**, o **cônjuge***.

Observação:

▶ Toda palavra substantivada é considerada masculina (o *a*, o *sim*, o *não*, etc.): "Não tem santo que me faça mencionar *os issos. Os aquilos*, então, nem pensar." [JU]

Há substantivos que são masculinos ou femininos, conforme o significado com que se achem empregados:

| a cabeça (parte do corpo) | – | o cabeça (o chefe) |
| a capital (cidade principal) | – | o capital (dinheiro, bens) |

O gênero nas profissões femininas
A presença, cada vez mais justamente acentuada, da mulher nas atividades profissionais que até bem pouco eram exclusivas ou quase exclusivas do homem tem exigido que as línguas — não só o português — adaptem o seu sistema gramatical a estas novas realidades. Já correm vitoriosos faz muito tempo femininos como

mestra, professora, médica, advogada, engenheira, psicóloga, filóloga, juíza, entre tantos outros.

As convenções sociais e hierárquicas criaram usos particulares que nem sempre são unanimemente adotados na língua comum. Todavia já se aceita a distinção, por exemplo, entre *a Cônsul* (senhora que dirige um Consulado) e *a Consulesa* (esposa do Cônsul); *a Embaixadora* (senhora que dirige uma Embaixada) e *a Embaixatriz* (esposa do Embaixador). Já para *senador* vigoram indiferentemente as formas de feminino *senadora* e *senatriz* para a mulher que exerce o cargo político ou para a esposa do senador, regra que também poucos gramáticos e lexicógrafos estendem a *consulesa* e *embaixatriz*.

Na hierarquia militar, parece não haver uma regra generalizada para denominar as mulheres da profissão. Correm com maior frequência os empregos: *a cabo* Ester Silva, *a sargento* Andreia, *a primeiro-tenente* Denise, *a tenente-coronel* Ana, *a contra-almirante* médica Dalva, etc.

Na linguagem jurídica, as petições iniciais vêm com o masculino com valor generalizante, dada a circunstância de não se saber quem examinará o processo, se juiz ou juíza: *Meritíssimo Senhor Juiz / Excelentíssimo Senhor Desembargador*.

No futebol feminino já se vai dizendo, por exemplo, *a quarta-zagueira*. Note-se, por fim, que algumas formas femininas podem não vingar por se revestirem de sentido pejorativo: *chefa, caba*, por exemplo.

Observações:

➥ Mais modernamente, *soprano* distingue pelo artigo se se trata de masculino ou feminino: *o soprano* (homem), *a soprano* (mulher).

➥ O substantivo *presidente* é de dois gêneros, portanto podemos dizer: *o presidente, a presidente*. O feminino *a presidenta* também é aceito, pois a língua permite as duas formas em referência a mulheres que assumem a presidência. O uso não só atende a princípios gramaticais. A estética e a eufonia são fatores permanentes nas escolhas dos usuários. O repertório lexical que regula ocorrências nos mostra, até o momento, a presença de *a presidente* com mais frequência do que *a presidenta*. Com *vice*, a forma vitoriosa é *presidente*, sobre *presidenta*.

➥ O feminino de *papa* é *papisa*, forma normalmente usada no sentido de 'profissional que se destaca e ganha notoriedade por sua competência', por exemplo: *Costanza Pascolato é conhecida como a papisa da moda*. No sentido de 'líder supremo de religião ou igreja', também é possível o uso do feminino, caso uma mulher ocupe esta posição.

➥ O feminino de *cacique* é *cacica*, para designar a 'mulher que é chefe temporal de tribo indígena'. Se considerarmos *cacique* um substantivo de dois gêneros, poderemos aceitar também a forma *cacique* para os dois gêneros: *o cacique* Raoni, *a cacique* Jurema.

3. Grau

Os substantivos apresentam-se com a sua significação aumentada ou diminuída, auxiliados por sufixos derivacionais: *homem – homenzarrão – homenzinho.*
Homenzarrão e homenzinho são formas *derivadas* de *homem*, e não flexões dela.
A NGB, confundindo flexão com derivação, estabelece dois graus de significação do substantivo:
   a) aumentativo: *homenzarrão.*
   b) diminutivo: *homenzinho.*

Fora da ideia de tamanho, as formas aumentativas e diminutivas podem traduzir a nossa admiração, o nosso orgulho, o nosso desprezo, a nossa crítica, o nosso pouco-caso para certos objetos e pessoas, sempre em função da significação lexical da base, auxiliados por uma entoação especial (eufórica, crítica, admirativa, lamentativa, etc.) e os entornos que envolvem falante e ouvinte.
Quando empregados em sentido negativo, dizemos então que os substantivos estão em sentido *pejorativo: poetastro, politicalho, livreco, gentinha.*
A ideia de pequenez se associa facilmente à de carinho que transparece nas formas diminutivas das seguintes bases léxicas: *paizinho, mãezinha, queridinha.*

Função sintática do substantivo

Quanto à função sintática, o substantivo exerce por excelência a função de sujeito (ou seu núcleo) da oração e, no domínio da constituição do predicado, agente da passiva, aposto, as funções de objeto direto, complemento relativo, objeto indireto, predicativo, adjunto adnominal e adjunto adverbial. Em geral, na função de sujeito, de predicativo, de aposto e de objeto direto dispensa o substantivo estar acompanhado de qualquer outro elemento; nas outras, acompanha-se de preposição: gosta *de Clarice*, escreveu *à Isabel*, homem *de coragem*, dançou *com prazer.*

Capítulo 5

Adjetivo

Adjetivo

É a classe que se caracteriza por constituir a *delimitação* do substantivo, orientando a referência a uma *parte* ou a um *aspecto* do denotado.

Entre os aspectos, há os adjetivos pátrios ou gentílicos, que se referem à nacionalidade ou ao local de origem do substantivo: povo *brasileiro*.

Locução adjetiva

É a expressão formada de preposição + substantivo ou equivalente com função de adjetivo: homem *de coragem* = homem *corajoso*.

Note-se que nem sempre encontramos um adjetivo da mesma família de palavras e de significado perfeitamente idêntico ao da locução adjetiva: colunas *marmóreas* (de mármore), mas colega *de turma*.

Flexões do adjetivo

O adjetivo se combina com certos signos gramaticais para manifestar o número, o gênero e o grau. O grau, entretanto, não constitui, no português, um processo gramatical de flexão. O grau figura aqui por ter sido contemplado pela NGB. A gradação em português, tanto no substantivo quanto no adjetivo, se manifesta por procedimentos sintáticos (*casa pequena, casa grande*) ou por sufixos derivacionais (*casinha, casarão*).

Número do adjetivo

O adjetivo acompanha o número do substantivo a que se refere: *aluno estudioso, alunos estudiosos*. Ele pode estar, portanto, no *singular* ou no *plural*.

Gênero do adjetivo

O adjetivo não tem gênero como tem o substantivo. Concorda em gênero com o substantivo a que se refere como simples repercussão da relação sintática de concordância que se instaura entre o determinado e o determinante: *tempo bom*, *vida boa*.

Formação do feminino dos adjetivos

Os adjetivos *uniformes* são os que apresentam uma só forma para acompanhar substantivos masculinos e femininos: trabalho *útil* / ação *útil*.

Os *biformes* têm uma forma para o masculino e outra para o feminino: vaso *chinês* / louça *chinesa*.

Gradação do adjetivo

Há três tipos de gradação na qualidade expressa pelo adjetivo: **positivo**, **comparativo** e **superlativo**, quando se procede a estabelecer relações entre o que são ou como se mostram dois ou mais seres.

O **positivo**, que não constitui a rigor uma gradação, enuncia simplesmente a qualidade: O rapaz é *cuidadoso*.

O **comparativo** compara qualidade entre dois ou mais seres, estabelecendo:
a) uma *igualdade*:
O rapaz é *tão cuidadoso quanto* (ou *como*) os outros.

b) uma *superioridade*:
O rapaz é *mais cuidadoso que* (ou *do que*) os outros.

c) uma *inferioridade*:
O rapaz é *menos cuidadoso que* (ou *do que*) os outros.

O **superlativo**:
a) ressalta, com vantagem ou desvantagem, a qualidade do ser em relação a outros seres: é *superlativo relativo*.
O rapaz é *o mais cuidadoso dos* (ou *dentre os*) pretendentes ao emprego. (superioridade)
O rapaz é *o menos cuidadoso dos* pretendentes. (inferioridade)

b) indica que a qualidade do ser ultrapassa a noção comum que temos dessa mesma qualidade: é *superlativo absoluto* ou *intensivo*.
O rapaz é *muito cuidadoso*. (analítico)
O rapaz é *cuidadosíssimo*. (sintético)

Obs.: O superlativo absoluto pode ser *analítico* ou *sintético*.

Forma-se o *analítico* com a anteposição de palavra intensiva ou intensificador (*muito, extremamente, extraordinariamente*, etc.) ao adjetivo: *muito elegante*.

O *sintético* é obtido por meio do sufixo derivacional *-íssimo* (ou outro sufixo ou prefixo de valor intensivo) acrescido ao adjetivo: O fato é *revelho* (= *velhíssimo*).

Comparativos e superlativos irregulares

Afastam-se dos demais na sua formação de comparativo e superlativo os adjetivos seguintes:

Positivo	Comparativo de superioridade	Superlativo	
		absoluto	relativo
bom	melhor	ótimo	o melhor
mau	pior	péssimo	o pior
grande	maior	máximo	o maior
pequeno	menor	mínimo	o menor

Capítulo 6

Artigo

Artigo

Chamam-se *artigo definido* **o**, **a**, **os**, **as** que se antepõem a substantivos, com função precípua de adjunto desses substantivos.

A tradição gramatical tem aproximado este verdadeiro artigo de **um**, **uns**, **uma**, **umas**, chamados *artigos indefinidos*, que se assemelham a **o**, **a**, **os**, **as** pela mera circunstância de também funcionarem como adjunto de substantivo.

Do ponto de vista semântico e consequentes resultados nas funções gramaticais, o artigo definido identifica o objeto designado pelo nome a que se liga, delimitando-o, extraindo-o de entre os objetos da mesma classe, como aquele que já foi (ou será imediatamente) conhecido do ouvinte.

Outra função é a da substantivação: qualquer unidade linguística, do texto ao morfema, pode substantivar-se quando é nome de si mesma, tomada materialmente: "***O*** *o é artigo*".

Emprego do artigo definido

De largo uso no idioma, o artigo assume sentidos especialíssimos, graças aos entornos verbais e extraverbais.

a) Denota, junto dos nomes próprios, nossa familiaridade (neste mesmo caso pode ser também omitido): *O Antônio comunicou-se com o João.*
b) Costuma aparecer ao lado de certos nomes próprios geográficos, principalmente os que denotam países, oceanos, rios, montanhas, ilhas: *a* Suécia, *o* Atlântico, *o* Amazonas, *os* Andes, *a* Groenlândia.
c) Entra em numerosas alcunhas e cognomes: Isabel, *a Redentora*.
d) Aparece em certos títulos: *o* professor João Ribeiro.
e) É omitido nos títulos de *Vossa Alteza*, *Vossa Majestade*, *Vossa Senhoria* e outras denominações, além das formas abreviadas *dom*, *frei*, *são* e as de origem estrangeira, como *Lord*, *Madame*, *Sir* e o latinismo *sóror* ou *soror* (oxítono): *Vossa Alteza passeia.*

f) Antecede o artigo os nomes de trabalhos literários e artísticos (se o artigo pertence ao título, há de ser escrito obrigatoriamente com maiúscula): a *Eneida, Os Lusíadas.*
g) É omitido antes da palavra *casa*, designando residência ou família, nas expressões do tipo: *fui a casa, estou em casa.*
h) Omite-se, ainda, o artigo junto ao vocábulo *terra*, em oposição a *bordo* (que também dispensa artigo): Iam de bordo *a* terra.
i) Aparece junto ao termo denotador da unidade quando se expressa o valor das coisas (aqui o artigo assume o valor de *cada*): Maçãs de poucos reais *o* quilo.
j) Aparece nas designações de tempo com os nomes das estações do ano: *Na primavera* há flores em abundância.
k) É, na maioria dos casos, de emprego facultativo junto a possessivos em referência a nome expresso: *Meu livro* ou *O meu livro.*
   Obs.: Na expressão de um ato usual, que se pratica com frequência, o possessivo vem normalmente sem artigo: Às oito toma *seu* café.
l) Pode vir a palavra *todo*, no singular, seguida ou não de artigo, com os significados de *inteiro, total* e *cada, qualquer: Todo* mundo sabe. *Toda a* cidade conhece.
m) Costuma-se dispensar o artigo depois de *cheirar a, saber a* (= ter o gosto de) e expressões sinônimas: Isto *cheira a* jasmim. Isto *sabe a* vinho.
n) Aparece o artigo definido na sua antiga forma *lo, la,* em frases feitas: "Tenho ouvido os quinhentistas a *la* moda, e os galiparlas." [CBr]

Emprego do artigo indefinido

O artigo indefinido pode assumir matizes variadíssimos de sentido:
   a) Usa-se o indefinido para aclarar as características de um substantivo enunciado anteriormente com artigo definido: Estampava no rosto o sorriso, *um* sorriso de criança.
   b) Procedente de sua função classificadora, *um* pode adquirir significação enfática, chegando até a vir acompanhado de oração com *que* de valor consecutivo, como se no contexto houvesse *um tal*: Ele é *um* herói!, Falou de *uma* maneira que pôs medo nos corações.
   c) Antes de numeral denota aproximação: Terá *uns* vinte anos de idade.
   d) Antes de pronome de sentido indefinido (*certo, tal, outro*, etc.), dispensa-se o artigo indefinido, salvo quando o exigir a ênfase: Depois de *certa* hora não o encontramos em casa. (E não: *uma certa hora*)
   e) Não se emprega o artigo definido antes do primeiro termo da sequência *um... e o outro* em sentido distributivo: *Um* irmão ia ao teatro e *o outro* ao cinema. (E não: *O* irmão ia ao teatro e *o outro* ao cinema.)
   f) Note-se a expressão *um como*, empregada no sentido de 'uma coisa como', 'um ser como', 'uma espécie de', onde *um* concorda com o substantivo

seguinte: Fez *um como* discurso; "Quisera pedir-lhe que as protegesse e guiasse; que fosse *um como tutor moral* das duas." [MA].

O artigo partitivo

A língua portuguesa de outros tempos empregava *do*, *dos*, *da*, *das* junto a nomes concretos para indicar que os mesmos nomes eram apenas considerados nas suas partes ou numa quantidade ou valor indeterminado, indefinido: Não digas *desta* água não beberei; "Finge-se às vezes comprador (...); come e bebe *do bom*, namora as criadas (...)." [ML]

É o que a gramática denomina *artigo partitivo*. Modernamente, o partitivo não ocorre com frequência.

Capítulo 7
Pronome

Pronome

É a classe de palavra que se refere a um significado léxico indicado pela situação ou por outras palavras do contexto.

Classificação dos pronomes

Os pronomes podem ser: *pessoais, possessivos, demonstrativos, indefinidos, interrogativos* e *relativos*.

Pronome substantivo e pronome adjetivo

O pronome pode aparecer em referência a substantivo claro ou oculto: *Meu* livro é melhor que o *teu*.

Meu e *teu* são pronomes porque, dando ideia de posse, fazem referência à pessoa do discurso: *meu* (1.ª pessoa, a que fala), *teu* (2.ª pessoa, a com quem se fala). Ambos os pronomes estão em referência ao substantivo *livro* que vem expresso no início, mas se cala no fim, por estar perfeitamente claro ao falante e ouvinte. Esta referência a substantivo caracteriza a função *adjetiva* ou de *adjunto* de certos pronomes. Muitas vezes, sem que tenha vindo expresso anteriormente, dispensa-se o substantivo, como em: Quero o *meu* e não o *seu* livro (onde ambos os pronomes possessivos são adjetivos).

Já em *Isto é melhor que aquilo*, os pronomes *isto* e *aquilo* não se referem a nenhum substantivo determinado, mas fazem as vezes dele. São, por isso, pronomes *absolutos* ou *substantivos*.

Pronome pessoal

Os pronomes pessoais designam as pessoas do discurso:
1.ª pessoa: *eu* (singular)   *nós* (plural)
2.ª pessoa: *tu* (singular)   *vós* (plural)
3.ª pessoa: *ele, ela* (singular)   *eles, elas* (plural)

As formas *eu, tu, ele, ela, nós, vós, eles, elas*, que funcionam como sujeito, se dizem *retas*. A cada um destes pronomes pessoais retos corresponde um pronome pessoal oblíquo que funciona como complemento e pode apresentar-se em forma átona ou forma tônica. Ao contrário das formas átonas, *as tônicas vêm sempre precedidas de preposição.*

Pronomes pessoais:		retos	oblíquos átonos (sem prep.)	oblíquos tônicos (com preposição)
Singular:	1.ª pessoa:	eu	me	mim
	2.ª pessoa:	tu	te	ti
	3.ª pessoa:	ele, ela	lhe, o, a, se	ele, ela, si
Plural:	1.ª pessoa:	nós	nos	nós
	2.ª pessoa:	vós	vos	vós
	3.ª pessoa:	eles, elas	lhes, os, as, se	eles, elas, si

Se a preposição é *com*, dizemos *comigo, contigo, consigo, conosco, convosco*, e não *com mim, com ti, com si, com nós, com vós*. Empregam-se, entretanto, *com nós* e *com vós*, ao lado de *conosco* e *convosco*, quando estes pronomes tônicos vêm seguidos ou precedidos de *mesmos, próprios, todos, outros, ambos, numeral, aposto* ou *oração adjetiva*, a fim de evidenciar o antecedente: *Com vós todos* ou *com todos vós*.

Pronome oblíquo reflexivo

É o pronome oblíquo da mesma pessoa do pronome reto, significando *a mim mesmo, a ti mesmo*, etc.: Eu *me* vesti rapidamente.

Pronome oblíquo reflexivo recíproco

É representado pelos pronomes *nos*, *vos*, *se* quando traduzem a ideia de *um ao outro*, *reciprocamente*: Nós *nos* cumprimentamos. (um ao outro)

Formas de tratamento

Existem ainda formas substantivas de tratamento indireto de 2.ª pessoa que levam o verbo para a 3.ª pessoa. São as chamadas *formas substantivas de tratamento* ou *formas pronominais de tratamento: você, vocês* (no tratamento familiar); *o Senhor, a Senhora* (no tratamento cerimonioso).

> ### Observações:
>
> ▶ Emprega-se *Vossa Alteza* (e demais) quando 2.ª pessoa, isto é, em relação a quem falamos; emprega-se *Sua Alteza* (e demais) quando 3.ª pessoa, isto é, em relação a de quem falamos. Apesar de usarmos, na forma de tratamento, o possessivo de 2.ª pessoa do plural, a referência ao possuidor se faz hoje em dia com os termos *seu*, *sua*, isto é, com possessivo de 3.ª pessoa do singular: *Vossa Excelência* conseguiu realizar todos os *seus* propósitos (e não: todos os *vossos* propósitos).
>
> ▶ *Você*, hoje usado familiarmente, é a redução da forma de reverência *Vossa Mercê*. Caindo, entre brasileiros, o pronome *vós* em desuso, só presente nas orações e estilo solene, emprega-se *vocês* como o plural de *tu*: *tu fizeste* e *vocês fizeram*.
>
> ▶ O substantivo *gente*, precedido do artigo *a* e em referência a um grupo de pessoas em que se inclui a que fala, ou a esta sozinha, passa a pronome e se emprega fora da linguagem cerimoniosa. Em ambos os casos o verbo fica na 3.ª pessoa do singular: "É verdade que *a gente*, às vezes, *tem* cá as suas birras." [AH]

Pronomes possessivos

São os que indicam a posse em referência às três pessoas do discurso: meu / nosso (1.ª pessoa); teu / vosso (2.ª pessoa); seu / seus (3.ª pessoa).

Pronomes demonstrativos

São os que indicam a posição dos seres em relação às três pessoas do discurso.
Esta localização pode ser no *tempo*, no *espaço* ou no *discurso*.

Este livro é o livro que está perto da pessoa que fala; *esse livro* é o que está longe da pessoa que fala ou perto da pessoa com quem se fala; *aquele livro* é o que se acha distante da 1.ª e da 2.ª pessoa.

São ainda pronomes demonstrativos *o, mesmo, próprio, semelhante* e *tal*.

Considera-se **o** pronome demonstrativo, de emprego absoluto, invariável no masculino e singular, quando funciona com o valor *grosso modo* de *isto, isso, aquilo* ou *tal*: Não *o* consentirei jamais.

Mesmo, próprio, semelhante e *tal* têm valor demonstrativo quando denotam identidades ou se referem a seres e ideias já expressas anteriormente e valem por *esse, essa, aquele, isso, aquilo*: "Depois, como Pádua falasse ao sacristão baixinho, aproximou-se deles; eu fiz a *mesma coisa*." [MA]

Obs.: *Mesmo* e *próprio* aparecem ainda reforçando pronomes pessoais, com os quais concordam em número e gênero: Ela *mesma* quis ver o problema. / Nós *próprios* o dissemos.

Pronomes indefinidos

São os que se aplicam à 3.ª pessoa quando têm sentido vago ou exprimem quantidade indeterminada.

Funcionam como pronomes indefinidos substantivos, todos invariáveis: *alguém, ninguém, tudo, nada, algo, outrem*.

São pronomes indefinidos adjetivos variáveis: *nenhum, outro* (também isolado), *um* (também isolado), *certo, qualquer* (só variável em número: *quaisquer*), *algum*. E o único invariável: *cada*.

Aplicam-se a quantidades indeterminadas os indefinidos, todos variáveis (com exceção de *mais* e *menos*): *muito, mais, menos, pouco, todo, algum, tanto, quanto, vário, diverso*.

Locução pronominal indefinida

É o grupo de palavras que vale por um pronome indefinido. Eis as principais locuções: *cada um, cada qual, alguma coisa, qualquer um, quem quer, quem quer que, o que quer que, seja quem for, seja qual for, quanto quer que, o mais* (hoje menos frequente que *a maior parte, a maioria*).

Pronomes interrogativos

São os pronomes indefinidos *quem, que, qual* e *quanto* que se empregam nas perguntas, diretas ou indiretas: *Quem* veio aqui?, *Que* compraste?

Obs.: Em lugar de *que* pode-se usar a forma interrogativa enfática *o que*.

Diz-se *interrogação direta* a pergunta que termina por ponto de interrogação e se caracteriza pela entoação ascendente: *Quem* veio aqui?
Já *interrogação indireta* é a pergunta que:
a) se faz indiretamente e para a qual não se pede resposta imediata;
b) é proferida com entoação normal descendente;
c) não termina por ponto de interrogação;
d) vem depois de verbo que exprime interrogação ou incerteza (*perguntar, indagar, não saber, ignorar*, etc.):
Quero saber *quem* veio aqui.

Pronomes relativos

São os que normalmente se referem a um termo anterior chamado antecedente: Eu sou o freguês *que* por último compra o jornal. (*que* se refere à palavra freguês)
O transpositor pronome relativo *que* difere da conjunção integrante *que* porque esta não exerce função sintática na oração em que está inserida, enquanto o relativo exerce normalmente função sintática.
Os pronomes relativos são: *o qual* (*a qual, os quais, as quais*), *cujo* (*cuja, cujos, cujas*), *que, quem, quanto* (*quanta, quantos, quantas*). Quando referidos a antecedentes, *onde, como* e *quando* costumam ser incluídos entre os pronomes relativos, sendo que melhor ficam classificados como advérbios relativos.
Quem se refere a pessoas ou coisas personificadas e sempre aparece precedido de preposição. *Que* e *o qual* se referem a pessoas ou coisas.
Cujo, sempre com função adjetiva, reclama, em geral, antecedente e consequente expressos e exprime que o antecedente é possuidor do ser indicado pelo substantivo a que se refere:

Ali vai o *homem*   ***cuja*** casa comprei.
↕   ↕
antecedente   consequente
(a casa do homem)

Observação:

➥ É erro usar artigo definido antes e depois de cujo. Por isso é considerada incorreta a construção: *O pai cujos os filhos estudam aqui*. A construção apropriada é: *O pai cujos filhos estudam aqui*.

Quanto tem por antecedente um pronome indefinido (*tudo, todo, todos, todas, tanto*): Esqueça-se de tudo *quanto* lhe disse.

Emprego dos pronomes

Pronome pessoal

A rigor, o pronome pessoal reto funciona como sujeito ou complemento predicativo, enquanto o oblíquo funciona como os demais complementos: **Eu** *saio*. **Eu** *não sou* **ele**. *Eu* **o** *vi. Não* **lhe** *respondemos*.

Cuidado especial hão de merecer, na língua exemplar, as coordenações de pronomes ou de pronome com um substantivo introduzidas pela preposição *entre*: entre *eu e tu* (por entre *mim e ti*), entre *eu* e o aluno (por entre *mim* e o aluno), entre José e *eu* (por entre José e *mim*).

Obs.: Já há concessões de alguns gramáticos quando o pronome *eu* ou *tu* vem em segundo lugar: Entre *ele e eu*. Entre *o José e eu*.

A língua exemplar, como dissemos, insiste na lição do rigor gramatical, recomendando, nestes casos, o uso dos pronomes oblíquos tônicos: Entre *mim e ti*. Entre *ele e mim*.

> **Observações:**
>
> ➥ Antes de verbo no infinitivo, o sujeito é um pronome reto: *Entre* eu *sofrer* e tu *ficares triste, prefiro sofrer*.
>
> ➥ Usamos *entre si* quando o pronome (*si*) se refere ao sujeito da oração: "Os índios, que certamente falavam a mesma língua do Oiapoque ao Chuí, só guerreavam *entre si* de brincadeirinha (...)." [JU]
> Quando o pronome não se referir ao sujeito da oração, devemos usar *entre eles* (*entre elas*): "Os diálogos *entre eles* eram de uma desesperadora trivialidade (...)." [NR]

O pronome *se* na construção reflexa

A reflexividade consiste, na essência, que a ação denotada pelo verbo não passa a outra pessoa, mas reverte-se à pessoa do próprio sujeito (ele é, ao mesmo tempo, agente e paciente):
   1.a) *João se banha.*

João se banha.   **A**   ⟵⏌   Reflexivo "próprio"

1.b) *João e Maria se amam.*

João e Maria se amam.   A ⇄ B   Reflexivo recíproco

Mudando as unidades linguísticas que se combinam com o pronome *se*, poderemos ter:

2) *O banco só se abre às dez horas.*
No presente exemplo, *banco* é um sujeito constituído por substantivo que, por inanimado, não pode ser agente da ação verbal; por isso, a construção é interpretada como "passiva": é o que a gramática chama voz "média" ou "passiva com *se*".

A última acepção a que poderemos chegar nas construções do pronome *se* é a da oração:

3) *Abre-se às dez.*
Temos aqui um *se* na construção em que não aparece substantivo, claro ou subentendido, que funcione como sujeito do conteúdo predicativo. Interpreta-se a construção como *impessoal* ou *indeterminada*, e o *se* como índice de indeterminação do sujeito.

Pronome possessivo

Seu e *dele* para evitar confusão

Em algumas ocasiões, o possessivo *seu* pode dar lugar a dúvidas a respeito do possuidor. Remedeia-se o mal com a substituição de *seu, sua, seus, suas* pelas formas *dele, dela, deles, delas, de você, do senhor*, etc., conforme convier.

Em: José, Pedro levou o *seu* chapéu, o pronome *seu* não esclarece quem realmente possui o chapéu, se Pedro ou José. Para esclarecer, pode-se usar: José, Pedro levou o chapéu *dele* ou, ainda: José, Pedro levou o *seu* chapéu *dele*.

Foge-se ainda à confusão empregando-se *próprio*: José, Pedro levou o *seu próprio* chapéu.

Possessivo para indicar ideia de aproximação

Junto a números o possessivo pode denotar uma quantidade aproximada: Nessa época, tinha *meus* quinze anos. (aproximadamente)

Valores afetivos do possessivo

O possessivo não se limita a exprimir apenas a ideia de posse. Adquire variados matizes contextuais de sentido, muitas vezes de difícil delimitação. Pode apenas indicar a coisa que nos interessa, por nos estarmos referindo, com ele, à causa que nos diz respeito, ou por que temos simpatia: O *nosso* herói (falando-se de um personagem de histórias) não soube que fazer.

Além de exprimir a nossa simpatia, serve também para traduzir nosso afeto, cortesia, deferência, submissão ou ironia: *Meu* prezado amigo.

Notemos, porém, as expressões do tipo: "Qual cansadas, *seu* Antoninho!" [LB]; *seu* não é a forma possessiva de 3.ª pessoa do singular. Trata-se aqui de uma redução familiar do tratamento *senhor*.

Pela forma abreviada *seu* modelou-se o feminino *sua*: "E ri-se você, *sua* atrevida?! — exclamou o moleiro, voltando-se para Perpétua Rosa." [AH]

O possessivo em referência a um possuidor de sentido indefinido

Se o possessivo faz referência a pessoa de sentido indefinido expresso ou sugerido pelo significado da oração, emprega-se o pronome de 3.ª pessoa: "É verdade que *a gente*, às vezes, tem cá as *suas* birras — disse ele, com certo ar que queria ser fino e saía parvo." [AH]

Se o falante se inclui no termo ou expressão indefinida, usar-se-á o possessivo de 1.ª pessoa do plural: "*A gente* compreende como estas cousas acontecem em *nossas* vidas." [CBr]

O possessivo e as expressões de tratamento do tipo *Vossa Excelência*

Empregando-se as expressões de tratamento do tipo de *Vossa Excelência*, *Vossa Reverendíssima*, *Vossa Majestade*, *Vossa Senhoria*, onde aparece a forma possessiva de 2.ª pessoa do plural, a referência ao possuidor se faz hoje em dia com os termos *seu*, *sua*, isto é, com possessivo de 3.ª pessoa do singular: *Vossa Excelência* conseguiu realizar todos os *seus* propósitos. (E não: todos os *vossos* propósitos.)

Pronome demonstrativo

A posição indicada pelo demonstrativo pode referir-se ao espaço, ao tempo (demonstrativos dêiticos espaciais e temporais) ou ao discurso (demonstrativo anafórico).

Demonstrativos referidos à noção de espaço

Este (e flexões) aplica-se aos seres que pertencem à ou estão perto da 1.ª pessoa, isto é, daquela que fala: *Este livro* é o livro que possuo ou tenho entre mãos.

Esse (e flexões) aplica-se aos seres que pertencem à ou estão perto da 2.ª pessoa, isto é, daquela com quem se fala: *Esse livro* é o livro que nosso interlocutor traz.

Na correspondência, *este* se refere ao lugar donde se escreve, e *esse* denota o lugar para onde a carta se destina: Escrevo *estas* linhas para dar-te notícia *desta* nossa cidade e pedir-te as novas *dessa* região aonde foste descansar.

Quando se quer apenas indicar que o objeto se acha afastado da pessoa que fala, sem nenhuma referência à 2.ª pessoa, usa-se *esse*: "Quero ver *esse* céu da minha terra. / Tão lindo e tão azul!" [CA]

Estas expressões não se separam por linhas rigorosas de demarcação; por isso exemplos há de bons escritores que contrariam os princípios aqui examinados.

Demonstrativos referidos à noção de tempo

O demonstrativo que denota um período mais ou menos extenso, no qual se inclui o momento em que se fala, é *este* (e flexões): *Este mês* (= no mês corrente) não houve novidades.

Aplicado a tempo já passado, o usual é *esse* (e flexões): *Nessa época* atravessávamos uma fase difícil.

Se o tempo passado ou futuro está relativamente próximo do momento em que se fala, pode-se fazer uso de *este*, em algumas expressões: *Esta noite* (= a noite passada) tive um sonho belíssimo, ou: Há previsão de chuva para *esta noite*.

Demonstrativos referidos a nossas próprias palavras

Quando o falante deseja fazer menção ao que ele acabou de narrar (anáfora) ou ao que vai narrar (catáfora), emprega *este* (e flexões): "Se não existisse Ifigênia... acudiu Calisto. Já *este* nome (isto é: o nome que proferi) me soava docemente..." [CBr]

Obs.: Há construções fixas que nem sempre se regulam pelas normas precedentes; entre estas, estão:
a) *isto é* (e nunca *isso é*) com o valor de 'quer dizer' ou 'significa', para introduzir esclarecimentos;
b) *por isso, nem por isso, além disso* são mais frequentes que *por isto, nem por isto, além disto*, como a introduzir uma conclusão ou aduzir um argumento;
c) *isto de* (e não *isso de*) com o valor de 'no que toca', 'no que diz respeito a'.

Pronome relativo

Em lugar de *em que, de que, a que*, nas referências a lugar, empregam-se respectivamente *onde, donde, aonde* (que funcionam como adjunto adverbial ou complemento relativo):

O colégio *onde* estudas é excelente.
A cidade *donde* vens tem fama de ter bom clima.
A praia *aonde* te diriges parece perigosa.

Modernamente os gramáticos têm tentado evitar o uso indiscriminado de *onde* e *aonde*, reservando o primeiro para a ideia de repouso e o segundo para a de movimento a algum lugar:

O lugar *onde* estudas...
O lugar *aonde* vais...

Evite-se o emprego de *onde* em lugar de *que / qual*, precedido ou não da conveniente preposição, como na frase: "Está sendo aberto um inquérito contra os policiais, *onde* (= *pelo qual*) eles podem perder o emprego." (notícia de jornal)

O cacoete de expressão referido na página 32, em que se repete o substantivo que funciona como sujeito por meio dos pronomes *ele, ela, eles, elas,* também deve ser citado quando se trata de pronome relativo que funciona como sujeito:

O homem que *ele* me viu pequeno não me reconheceu agora. (E sim: *O homem que me viu pequeno não me reconheceu agora.*)

Capítulo 8

Numeral

Numeral

É a palavra de função quantificadora que denota valor definido: "A vida tem *uma* só entrada: a saída é por *cem* portas." [MM]

Os numerais propriamente ditos são os *cardinais*: um, dois, três, quatro, etc., e respondem às perguntas *quantos?*, *quantas?*.

Na escrita podem ser representados por algarismos arábicos (1, 2, 3, 4, etc.) ou romanos (I, II, III, IV, etc.).

A tradição gramatical, levando em conta mais a significação de certas palavras denotadoras da quantidade e da ordem definidas, tem incluído entre os numerais próprios — os cardinais — ainda os seguintes: os *ordinais*, os *multiplicativos* e os *fracionários*. Tais palavras não exprimem propriamente uma quantidade do ponto de vista semântico, e do ponto de vista sintático se comportam, em geral, como adjetivos que funcionam como adjuntos e, portanto, passíveis de deslocamentos dentro do sintagma nominal:

Ele era o *segundo* irmão entre os homens.
Ele era o irmão *segundo* entre os homens.

Obs. 1.ª: Evite-se o erro, hoje comum: *algumas milhares de pessoas, as milhares de pessoas, as milhões de mulheres*, etc. em vez de *alguns milhares, os milhares, os milhões*, etc. Então temos este emprego correto na frase: Ela era mais *uma dos milhares* que estão vindo para o Brasil.

Obs. 2.ª: Não são numerais as letras do alfabeto referidas em sequências ou qualificações do tipo:

Mora na casa *A* da vila.
O leite é tipo *B*.
Era uma revista dirigida às classes *A* e *B*.

Ordinais

São as palavras que denotam o número de ordem dos seres numa série: *primeiro, segundo, terceiro, quarto, quinto*, etc.

Observações:

➥ Podem ser grafados com *lh* ou *li*: *bilhão / bilião, trilhão / trilião, quatrilião, quintilião, sextilião, setilião, octilião*. As formas com *lh* são mais usuais no Brasil.

➥ Não se emprega hífen nos ordinais: *décimo quinto*.

➥ Os numerais ordinais, quando abreviados, seguindo-se ao algarismo, recebem o ponto indicativo da redução, mais a terminação *o* ou *a* alceada (conforme o gênero) e, opcionalmente, sublinhada: 10.ª colocada ou 10.ª colocada. Em se tratando de algarismos romanos, a prática recomendada é: I Encontro de Arte e Cultura (e não I.º Encontro).

➥ *Último, penúltimo, antepenúltimo, anterior, posterior, derradeiro, anteroposterior* e outros tais, ainda que exprimam posição do ser, não têm correspondência entre os numerais e devem ser considerados adjetivos.

Só use zero diante de numeral até 9 quando tiver de preencher espaços vazios:
A aula vai até dia 8 (e não 08).
Rio de Janeiro, 3/6/2011 (e não 03/06/2011).
Em certos documentos preenchem-se com zero os vazios indicativos de números quando estes têm só um dígito. Por exemplo, dia, mês e ano de nascimento em 3 de junho de 2011:

| 0 | 3 | | 0 | 6 | | 1 | 1 |

Leitura de expressões numéricas abreviadas

Atenção especial merecem entendimento e leitura de certas expressões numéricas abreviadas de uso moderno na linguagem jornalística e técnica: *1,4 milhão* (com 1 o numeral coletivo fica no singular); *3,2 bilhões; 8,5 bilhões*; etc. devem ser entendidos e lidos "um milhão e quatrocentos mil"; "três bilhões e duzentos milhões"; "oito bilhões e quinhentos milhões" ou "oito bilhões e meio".

Note-se que, embora em *1,4 milhão* o substantivo esteja no singular, o verbo vai ao plural: 1,4 milhão de estudantes *conseguiram* vagas no ensino superior.

Multiplicativos

São as palavras que exprimem a multiplicidade dos seres. Os mais usados são: *duplo* ou *dobro, triplo* ou *tríplice, quádruplo, quíntuplo, sêxtuplo, sétuplo, óctuplo, nônuplo, décuplo, cêntuplo*.

Fracionários

São as palavras que indicam frações dos seres: *meio, terço, quarto, quinto, sexto, sétimo, oitavo, nono, décimo, vigésimo, centésimo, milésimo, milionésimo*, empregados como equivalentes de *metade, terça parte, quarta parte*, etc.

Para muitos fracionários empregamos o cardinal seguido da palavra *avos*, extraída de *oitavo*, como se fora sufixo: *onze avos, treze avos, quinze avos*, etc.

O fracionário *meio*, funcionando como adjunto, concorda com seu núcleo, explícito ou não: *meio-dia e meia* (hora); *duas e meia* (hora).

Nota: A tradição da língua estabelece que, se o ordinal é de 2.000 em diante, o primeiro numeral usado é cardinal: 2.345.ª — duas milésimas trecentésima quadragésima quinta. A língua moderna, entretanto, parece preferir o primeiro numeral como ordinal, se o número é redondo: décimo milésimo aniversário.

Capítulo 9
Verbo

Entende-se por *verbo* a unidade que significa ação ou processo, unidade esta organizada para expressar o modo, o tempo, a pessoa e o número.

No verbo português há categorias que sempre estão ligadas: não se separa a "pessoa" do "número" nem o "tempo" do "modo".

As pessoas do verbo

Geralmente as formas verbais indicam as três pessoas do discurso, para o singular e o plural:

1.ª pessoa do singular:	**eu**	canto
2.ª pessoa do singular:	**tu**	cantas
3.ª pessoa do singular:	**ele**	canta
1.ª pessoa do plural:	**nós**	cantamos
2.ª pessoa do plural:	**vós**	cantais
3.ª pessoa do plural:	**eles**	cantam

Os tempos do verbo

Presente

Em referência a fatos que se passam ou se estendem ao momento em que falamos: (*eu*) *canto*.

Pretérito

Em referência a fatos anteriores ao momento em que falamos e subdividido em *imperfeito*, *perfeito* e *mais-que-perfeito*: *cantava* (*imperfeito*), *cantei* (*perfeito*) e *cantara* (*mais-que-perfeito*).

Futuro

Em referência a fatos ainda não realizados e subdividido em *futuro do presente* e *futuro do pretérito*: *cantarei* (*futuro do presente*), *cantaria* (*futuro do pretérito*) [que implica também a modalidade condicional].

Os modos do verbo

São, conforme a posição do falante em face da relação entre a ação verbal e seu agente, os seguintes:

Indicativo

Em referência a fatos verossímeis ou tidos como tais: *canto, cantei, cantava, cantarei*.

Subjuntivo (conjuntivo)

Em referência a fatos incertos: talvez *cante, se cantasse*.

Condicional

Em referência a fatos dependentes de certa condição: *cantaria*.

Optativo

Em relação à ação como desejada pelo agente: "E *viva* eu cá na terra sempre triste." [LC]

Imperativo

Em relação a um ato que se exige do agente: *cantai*.

As vozes do verbo

As vozes do verbo são: *ativa, passiva* e *reflexiva*.

Ativa

Forma em que o verbo se apresenta para, normalmente, indicar que o sujeito a que se refere é o *agente* da ação: *Eu escrevo a carta. Tu visitaste o primo.*

Passiva

Forma verbal que indica que o sujeito é o *objeto* da ação verbal. A pessoa, neste caso, diz-se *paciente* da ação verbal: *A carta é escrita por mim. O primo foi visitado por ti.*

A passiva é formada com um dos verbos: *ser, estar, ficar* seguido de *particípio*.

Reflexiva

Forma verbal que indica que a ação verbal não passa a outro ser, 1) podendo reverter-se ao próprio agente (sentido reflexivo propriamente dito); 2) podendo atuar reciprocamente entre mais de um agente (reflexivo recíproco); 3) podendo indicar movimento do próprio corpo ou mudança psicológica (reflexivo dinâmico); 4) podendo expressar sentido de 'passividade com *se*' (reflexivo passivo); e 5) podendo expressar sentido de impessoalidade (reflexivo indeterminado), conforme as interpretações favorecidas pelo contexto, formada de verbo seguido do pronome oblíquo de pessoa igual à que o verbo se refere:

1) Eu *me visto* sozinho; tu *te feriste*; ele *se enfeita*.
2) Eles *se amam*; nós *nos carteamos*.
3) Ela *sentou-se*.
4) *Alugam-se* casas.
5) *Assistiu-se* a festas.

O verbo, empregado na forma reflexiva propriamente dita, diz-se *pronominal*.

Formas nominais do verbo

Assim se chamam o *infinitivo*, o *particípio* e o *gerúndio*, porque, ao lado do seu valor verbal, podem desempenhar função de nomes. O infinitivo pode ter função de substantivo (*Recordar é viver* = A recordação é vida); o particípio pode valer por um adjetivo (*homem sabido*) e o gerúndio por um advérbio ou adjetivo (*Amanhecendo, sairemos* = Logo pela manhã sairemos; *água fervendo* = água fervente).

As formas nominais do verbo, com exceção do infinitivo, não definem as pessoas do discurso e, por isso, são ainda conhecidas por *formas infinitas*. O particípio possui, quando possível, desinências nominais idênticas às que caracterizam os nomes (gênero e número).

O infinitivo português, ao lado da forma infinita, isto é, sem manifestação explícita das pessoas do discurso, possui outra flexionada:

Infinitivo sem flexão	Infinitivo flexionado
Cantar	Cantar eu
	Cantares tu
	Cantar ele
	Cantarmos nós
	Cantardes vós
	Cantarem eles

As formas nominais do verbo se derivam do tema (radical + vogal temática) acrescido das desinências:
a) **-r** para o infinitivo: canta-*r*, vende-*r*, parti-*r*.
b) **-do** para o particípio: canta-*do*, vendi-*do*, parti-*do*.
c) **-ndo** para o gerúndio: canta-*ndo*, vende-*ndo*, parti-*ndo*.

Conjugar um verbo

É dizê-lo, de acordo com um sistema determinado, um paradigma, em todas as suas formas nas diversas pessoas, números, tempos, modos e vozes.
Em português temos três conjugações caracterizadas pela vogal temática:
1.ª conjugação – vogal temática **a**: am*a*r   fal*a*r   tir*a*r
2.ª conjugação – vogal temática **e**: tem*e*r   vend*e*r   varr*e*r
3.ª conjugação – vogal temática **i**: part*i*r   fer*i*r   serv*i*r

Observação:

➥ Não existe a 4.ª conjugação; *pôr* é um verbo da 2.ª conjugação cuja vogal temática desapareceu no infinitivo, mas permanece em outras formas do verbo. Veja-se a correspondência: vend-*e*-s / põ-*e*-s.

Verbos regulares, irregulares e anômalos

Diz-se que um verbo é *regular* quando se apresenta de acordo com o modelo de sua conjugação: *cantar, vender, partir*, sendo suas formas predizíveis, graças às regras definidas e gerais de flexionamento. No verbo regular também o radical não varia. Tem-se o radical de um verbo privando-o, no infinito sem flexão, das terminações -*ar*, -*er*, -*ir*:
    am-ar   fal-ar   tir-ar   tem-er   vend-er   varr-er   part-ir   fer-ir   serv-ir

Irregular é o verbo que, em algumas formas, apresenta modificação no radical ou na flexão, afastando-se do modelo da conjugação a que pertence:
a) variação no radical em comparação com o infinitivo:

ouvir – **ouç**o   **diz**er – **dig**o   **perd**er – **perc**o

b) variação na flexão, em relação ao modelo: *estou* (veja-se *canto*, um representado por ditongo oral tônico e outro por vogal oral átona), *estás* (veja-se *cantas*, um tônico e outro átono).

Os *irregulares* se dividem em *fracos* e *fortes*. Fracos são aqueles cujo radical do infinitivo não se modifica no pretérito:

sentir-**sent**i;   **perd**er-**perd**i.

Fortes são aqueles cujo radical do infinitivo se modifica no pretérito perfeito:

caber – **coub**e   **faz**er – **fiz**

Observação:

➥ Não entram no rol dos verbos irregulares aqueles que, para conservar a pronúncia, têm de sofrer variação de grafia:
    carregar – carre*gu*e – carre*gu*ei – carre*gu*es
    ficar – fico – fi*qu*ei – fi*qu*e
Não há, portanto, os *irregulares gráficos*.

Anômalo é o verbo irregular que apresenta, na sua conjugação, radicais primários diferentes: *ser* (reúne o concurso de três radicais: *sou, és, fui*) e *ir* (reúne o concurso de três radicais: *vou, irmos, fui*).

Defectivo é o verbo que, na sua conjugação, não apresenta todas as formas: *colorir, precaver-se, reaver*, etc. É preciso não confundi-lo com os verbos chamados *impessoais* e *unipessoais*, que só se usam nas terceiras pessoas.

Quase sempre faltam as formas rizotônicas dos verbos defectivos. Chama-se *rizotônica* a forma verbal que tem a sílaba tônica no radical (**can**to, em oposição a cantei). Suprimos, *quando necessário*, as lacunas de um defectivo empregando um sinônimo (derivado ou não do defectivo): Eu *recupero* (para reaver); eu *redimo* (para remir); eu *me acautelo* (para precaver-se). Arrizotônica é a forma verbal cuja sílaba tônica se acha fora do radical: que**re**mos, can**tais**, di**rei**, ven**di**do. Na língua portuguesa há predomínio de formas arrizotônicas.

Observações:

➥ Muitos verbos apontados outrora como defectivos são hoje conjugados integralmente: *aderir, agir, advir, compelir, computar, desmedir-se, discernir, embair, emergir, imergir, fruir, polir, prazer, submergir. Ressarcir* e *refulgir* (que alguns gramáticos só mandam conjugar nas formas em que o radical é seguido de *e* ou *i*) tendem a ser empregados como verbos completos.

➡ Os verbos que designam vozes de animais geralmente só aparecem nas terceiras pessoas do singular e plural, em virtude de sua significação, e são indevidamente arrolados como defectivos. Melhor chamá-los, quando no seu significado próprio, *unipessoais*.

➡ Também são indevidamente considerados defectivos os verbos *impessoais* (pois não se referem a sujeito), que só são empregados na terceira pessoa do singular: *Chove* muito. *Relampeja*. Quando em sentido figurado, os verbos desta observação, como os da anterior, conjugam-se em quaisquer pessoas: *Chovam as bênçãos do céu*.

Abundante é o verbo que apresenta duas ou três formas de igual valor e função: *havemos* e *hemos*; *constrói* e *construi*; *pagado* e *pago*; *nascido*, *nato*, *nado* (pouco usado).

Normalmente esta abundância de forma ocorre no particípio.

Existe grande número de verbos que admitem dois (e uns poucos até três) particípios: um *regular*, terminado em *-ado* (1.ª conjugação) ou *-ido* (2.ª e 3.ª conjugações), e outro irregular, proveniente do latim ou de nome que passou a ter aplicação como verbo, terminado em *-to*, *-so* ou criado por analogia com modelo preexistente.

Observação:

➡ Em geral emprega-se a forma regular, que fica invariável com os auxiliares *ter* e *haver*, na voz ativa, e a forma irregular, que se flexiona em gênero e número, com os auxiliares *ser*, *estar* e *ficar*, na voz passiva.
Nós temos *aceitado* os documentos.
Os documentos têm sido *aceitos* por nós.

Locução verbal. Verbos auxiliares

Chama-se *locução verbal* a combinação das diversas formas de um verbo auxiliar com o infinitivo, gerúndio ou particípio de outro verbo que se chama principal: *hei de estudar, estou estudando, tenho estudado*. Muitas vezes o auxiliar empresta um matiz semântico ao verbo principal, dando origem aos chamados *aspectos do verbo*.

Entre o auxiliar e o verbo principal no infinitivo, pode aparecer ou não uma preposição (*de, em, por, a, para*). Na locução verbal é somente o auxiliar que recebe as flexões de pessoa, número, tempo e modo: *haveremos de fazer; estavam por sair; iam trabalhando; tinham visto*.

Várias são as aplicações dos verbos auxiliares da língua portuguesa:
1) *ter*, *haver* (raramente) e *ser* (mais raramente) se combinam com o particípio do verbo principal para constituírem novos tempos, chamados *compostos*, que, unidos aos simples, formam o quadro completo da conjugação da voz ativa. Estas combinações exprimem que a ação verbal está concluída.

Temos nove formas compostas:

Indicativo

Pretérito perfeito composto:	tenho ou hei cantado, vendido, partido
Pretérito mais-que-perfeito composto:	tinha ou havia cantado, vendido, partido
Futuro do presente composto:	terei ou haverei cantado, vendido, partido
Futuro do pretérito composto:	teria ou haveria cantado, vendido, partido

Subjuntivo

Pretérito perfeito composto:	tenha ou haja cantado, vendido, partido
Pretérito mais-que-perfeito composto:	tivesse ou houvesse cantado, vendido, partido
Futuro composto:	tiver ou houver cantado, vendido, partido

FORMAS NOMINAIS

Infinitivo composto:	ter ou haver cantado, vendido, partido
Gerúndio composto:	tendo ou havendo cantado, vendido, partido

2) *ser*, *estar*, *ficar* se combinam com o particípio (variável em gênero e número) do verbo principal para constituir a voz passiva (de ação, de estado e de mudança de estado): *é amado, está prejudicada, ficaram rodeados*.
3) os auxiliares *acurativos* se combinam com o infinitivo ou gerúndio do verbo principal para determinar com mais rigor os aspectos do momento da ação verbal que não se acham bem definidos na divisão geral de tempo presente, passado e futuro:

início de ação:	começar a escrever, pôr-se a escrever, etc.
iminência de ação:	estar para (por) escrever, pegar a (de) escrever, etc.
continuidade da ação:	continuar escrevendo, continuar a escrever (sendo a primeira forma a que é mais antiga no idioma).
desenvolvimento gradual da ação; duração:	estar a escrever, andar escrevendo, vir escrevendo, ir escrevendo, etc.

Observação:

➥ O gerundismo é o uso indevido e abusivo do gerúndio, que se instalou na oralidade da linguagem moderna, especialmente comercial. É inadequado o gerúndio no exemplo: *Vou estar transferindo sua ligação*, em lugar de: *Vou transferir sua ligação*. Já no exemplo: *Às oito horas de amanhã ele estará entrando no avião*, o uso do gerúndio é perfeitamente cabível e não constitui erro.

repetição de ação: tornar a escrever, costumar escrever (repetição habitual), etc.

término de ação: acabar de escrever, cessar de escrever, deixar de escrever, parar de escrever, vir de escrever, etc.

4) os auxiliares *modais* se combinam com o infinitivo ou gerúndio do verbo principal para determinar com mais rigor o modo como se realiza ou se deixa de realizar a ação verbal:

necessidade, obrigação, dever: haver de escrever, ter de escrever, dever escrever, precisar (de) escrever, etc.

Observações:

➥ Em vez de *ter* ou *haver de* + infinitivo, usa-se ainda, mais modernamente, *ter* ou *haver que* + infinitivo: *tenho que estudar*. Neste caso, *que*, como índice de complemento de natureza nominal, funciona como verdadeira preposição. Não se confunda este *que* preposição com o *que* pronome relativo em construções do tipo: *nada tinha que dizer, tenho muito que fazer*, etc. A língua exemplar evita neste caso o emprego da preposição *a* em vez do pronome relativo *que*, por considerar imitação do francês: *Temos muito que te contar.* (E não: *a te contar.*)

➥ Muitas vezes no português contemporâneo, não é indiferente o sentido da expressão com preposição ou sem ela: ***deve resultar*** exprime certa precisão de resultado; ***deve de resultar*** traduz a probabilidade do resultado.

possibilidade ou capacidade:	poder escrever, etc.
vontade ou desejo:	querer escrever, desejar escrever, odiar escrever, abominar escrever, etc.
tentativa ou esforço; às vezes com o sentido secundário, depreendido pelo contexto, de que a tentativa acabou em decepção (foi buscar lã e saiu tosquiado):	buscar escrever, pretender escrever, tentar escrever, ousar escrever, atrever-se a escrever, etc.
consecução:	conseguir escrever, lograr escrever, etc.
aparência, dúvida:	parecer escrever, etc.
movimento para realizar um intento futuro (próximo ou remoto):	ir escrever, etc.
resultado:	vir a escrever, chegar a escrever, etc.

Elementos estruturais do verbo: desinências e sufixos verbais

Ao radical do verbo, que é o elemento que encerra o seu significado lexical, se juntam as formas mínimas chamadas *desinências* para constituir as flexões do verbo, indicadoras da *pessoa* e *número*, do *tempo* e *modo*. Segundo Mattoso, a constituição da forma verbal portuguesa é: t (r + vt) + d (dmt + dnp), em que t = tema; r = radical; vt = vogal temática; d = desinência; dmt = desinência modotemporal; e dnp = desinência numeropessoal.

Tempos primitivos e derivados

No estudo dos verbos, principalmente dos irregulares, torna-se vantajoso o conhecimento das formas verbais que se derivam de outras chamadas *primitivas*.
  1) Praticamente do radical da 1.ª pessoa do presente do indicativo sai todo o presente do subjuntivo, bastando que se substitua a vogal final por *e*, nos verbos da 1.ª conjugação, e por *a* nos verbos da 2.ª e 3.ª conjugações:

Verbo	Presente do indicativo	Presente do subjuntivo
cantar	canto	cante
vender	vendo	venda
partir	parto	parta

Exceções: verbos ser, dar, estar, haver, ir, querer e saber.

  2) Praticamente da 2.ª pessoa do singular e do plural do presente do indicativo saem a 2.ª pessoa do singular e do plural do imperativo, bastando suprimir o *s* final:

Verbo	Presente do indicativo	Imperativo
cantar	cantas	canta
	cantais	cantai
vender	vendes	vende
	vendeis	vendei
partir	partes	parte
	partis	parti

Exceção: verbo ser.

O imperativo em português só tem formas próprias para as segundas pessoas, e apenas no afirmativo; as pessoas que faltam são supridas pelos correspondentes do presente do subjuntivo. Não se usa o imperativo de 1.ª pessoa do singular como tal, mas com valor optativo. As terceiras pessoas do imperativo se referem a *você*, *vocês*, e não a *ele*, *eles*. Também não há formas especiais para o imperativo nas orações negativas; neste caso, empregam-se as formas correspondentes do presente do subjuntivo.

A sílaba tônica nos verbos

Aguar, *desaguar* e *enxaguar* modernamente constituem também exceção entre brasileiros: *águo*, *deságuo*, *enxáguo*, etc. Entre portugueses e regionalmente vivem as pronúncias regulares: *aguo*, *enxaguo*, etc., como ocorre com *averiguar*, *apaziguar*: *averiguo*, *apaziguo*.

Verbos notáveis quanto à pronúncia ou flexão

a) *Aguar, apaniguar, apaziguar, apropinquar, averiguar, desaguar, enxaguar, obliquar, delinquir* e afins podem ser conjugados de duas formas:
1) ou têm as formas rizotônicas com o ***u*** do radical tônico, mas sem o acento agudo, conforme o modelo:

Pres. ind.: aguo (ú), aguas (ú), agua (ú), aguamos, aguais, aguam (ú)

Pres. subj.: ague (ú), agues (ú), ague (ú), aguemos, agueis, aguem (ú)

2) ou têm as formas rizotônicas com ***a*** ou ***i*** do radical com acento agudo, conforme o modelo:

Pres. ind.: águo, águas, água, aguamos, aguais, águam

Pres. subj.: águe, águes, águe, aguemos, agueis, águem

Pres. ind.: apazíguo, apazíguas, apazígua, apaziguamos, apaziguais, apazíguam
Pres. subj.: apazígue, apazígues, apazígue, apaziguemos, apazigueis, apazíguem

b) *Arguir* e *redarguir* não levam acento agudo na vogal tônica *u* nas formas rizotônicas:

Pres. ind.: arguo (ú), arguis (ú), argui (ú), arguímos, arguís, arguem (ú)
Pres. subj.: argua (ú), arguas (ú), argua (ú), arguamos, arguais, arguam (ú)

c) *Magoar* conjuga-se:

Pres. ind.: magoo, magoas, magoa, magoamos, magoais, magoam
Pres. subj.: magoe, magoes, magoe, magoemos, magoeis, magoem

Verbos em *-ear* e *-iar*

Os verbos terminados em *-ear* trocam o *e* por *ei* nas formas rizotônicas:

nomear   presente do indicativo: nomeio, nomeias, nomeia, nomeamos, nomeais, nomeiam

presente do subjuntivo: nomeie, nomeies, nomeie, nomeemos, nomeeis, nomeiem

imperativo afirmativo: nomeie, nomeia, nomeie, nomeemos, nomeai, nomeiem

Os verbos em *-iar* são conjugados regularmente:

premiar   presente do indicativo: premio, premias, premia, premiamos, premiais, premiam

presente do subjuntivo: premie, premies, premie, premiemos, premieis, premiem

imperativo afirmativo: premie, premia, premie, premiemos, premiai, premiem

Cinco verbos em *-iar* se conjugam, nas formas rizotônicas, como se terminassem em *-ear* (***mario*** é o anagrama que deles se pode formar):

mediar	medeio, medeias, medeia, mediamos, mediais, medeiam
ansiar	anseio, anseias, anseia, ansiamos, ansiais, anseiam
remediar	remedeio, remedeias, remedeia, remediamos, remediais, remedeiam
incendiar	incendeio, incendeias, incendeia, incendiamos, incendiais, incendeiam
odiar	odeio, odeias, odeia, odiamos, odiais, odeiam

Emprego do verbo

Atenção para os verbos derivados!

Por ignorarem os verbos, não reparam, por exemplo, em que os compostos de *ter*, *pôr* e *vir* acompanham as irregularidades dos simples, pelo que é comum encontrarem-se frases como estas: "quem se *deter* a observar os fatos", [em lugar de *detiver*], "*entretia*-se a atirar pedras por cima do muro" [em lugar de *entretinha-se*], "quem *supor* que faltamos à verdade vá lá ver" [em lugar de *supuser*], "poderá adquirir terrenos onde lhe *convir*" [em lugar de *convier*].

Silva Ramos

Emprego de tempos e modos

Indicativo
É o modo que normalmente aparece nas orações independentes, e nas dependentes que encerram um fato real ou tido como tal.

Presente
O presente denota uma declaração:
a) que se verifica ou que se prolonga até o momento em que se fala:
"*Ocorre*-me uma reflexão imoral, que é ao mesmo tempo uma correção de estilo." [MA]

b) que acontece habitualmente:
A Terra gira em torno do Sol.

c) que representa uma verdade universal (o "presente eterno"):
"O interesse *adota* e *defende* opiniões que a consciência reprova." [MM]

Pretérito imperfeito
Emprega-se o pretérito imperfeito quando nos transportamos mentalmente a uma época passada e descrevemos o que então era presente:
> "Eugênia *coxeava* um pouco, tão pouco, que eu cheguei a perguntar-lhe se machucara o pé." [MA]

Pretérito perfeito
"O pretérito imperfeito é o tempo da ação prolongada ou repetida com limites imprecisos; ou não nos esclarece sobre a ocasião em que a ação terminaria ou nada nos informa quanto ao momento do início. O pretérito perfeito, pelo contrário, fixa e enquadra a ação dentro de um espaço de tempo determinado" [SA]:
> "Marcela *teve* primeiro um silêncio indignado; depois *fez* um gesto magnífico: *tentou* atirar o colar à rua. Eu *retive*-lhe o braço; *pedi*-lhe muito que não me fizesse tal desfeita, que ficasse com a joia. *Sorriu* e *ficou*." [MA]

Pretérito mais-que-perfeito (simples e composto)
Denota uma ação anterior a outra já passada:
> "No dia seguinte, antes de me recitar nada, explicou-me o capitão que só por motivos graves *abraçara* a profissão marítima..." [MA]

Futuro
O futuro do presente e o do pretérito denotam uma ação que ainda se vai realizar:
> "Os homens nos *parecerão* sempre injustos enquanto o forem as pretensões do nosso amor-próprio." [MM]
> "Sem a crença em uma vida futura, a presente *seria* inexplicável." [MM]

Subjuntivo
O modo subjuntivo ocorre normalmente nas orações independentes optativas, nas imperativas negativas e afirmativas (nestas últimas com exceção da 2.ª pessoa do singular e plural), nas dubitativas com o advérbio *talvez* e nas subordinadas em que o fato é considerado como incerto, duvidoso ou impossível de se realizar:
> Bons ventos o *levem*.
> "Não *desenganemos* os tolos se não queremos ter inumeráveis inimigos." [MM]
> "*Louvemos* a quem nos louva para abonarmos o seu testemunho." [MM]
> "Talvez a estas horas *desejem* dizer-te peccavi! Talvez *chorem* com lágrimas de sangue." [AH] (*peccávi* [lat.] = pequei)

Imperativo
Cumpre apenas acrescentar ao que já se disse:
a) que o infinitivo pode substituir o imperativo nas ordens instantes:
> "Todos se chegavam para o ferir, sem que a D. Álvaro se ouvissem outras palavras, senão estas: *Fartar*, rapazes." [AH]
> Atenção: *Marchar!*

b) que se usa o imperativo do verbo *querer* (ou, melhor dizendo, o subjuntivo presente) seguido de infinitivo para suavizar uma ordem ou exprimir o desejo de que um fato aconteça:
Queira aceitar meus cumprimentos.

Observação:

➥ Os casos aqui lembrados estão longe de enquadrar a trama complexa do emprego de tempos e modos em português. São várias as situações que podem, ferindo os princípios aqui expostos, levar o falante ou escritor a buscar novos meios expressivos. São questões que fogem ao âmbito da Gramática e constituem preocupação da Estilística.

Formas nominais

A respeito das formas nominais, cumpre acrescentar ao que já se disse:

1) Infinitivo pertencente a uma locução verbal:
Não se flexiona normalmente o infinitivo que faz parte de uma locução verbal:
"E o seu gesto era tão desgracioso, coitadinho, que todos, à exceção de Santa, *puseram-se a rir*." [AAz]

2) Infinitivo fora da locução verbal:
Fora da locução verbal, "a escolha da forma infinitiva depende de cogitarmos somente da ação ou do intuito ou necessidade de pormos em evidência o agente do verbo". [SA]

O infinitivo sem flexão revela que a nossa atenção se volta com especial cuidado para a ação verbal; o flexionamento serve de insistir na pessoa do sujeito:
Estudamos { *para vencer na vida.*
{ *para vencermos na vida.*

Se o sujeito léxico estiver expresso, é obrigatória a flexão do infinitivo: *Estudamos para nós vencermos na vida.* (Nunca: *para nós vencer na vida.*)

Apêndice

Passagem da voz ativa à passiva e vice-versa

Em geral, só pode ser construído na voz passiva verbo que pede objeto direto, acompanhado ou não de outro complemento.

Na passagem da ativa para a passiva segue-se o esquema:

1.º) o sujeito da ativa, se houver, passa a agente da passiva;

2.º) o objeto direto da ativa, se houver, passa a sujeito da passiva;

3.º) o verbo da voz ativa passa para a voz passiva, conservando-se o mesmo tempo e modo;

4.º) não sofrem alteração os outros termos oracionais que apareçam.

Exemplo 1 (com pronome oblíquo):

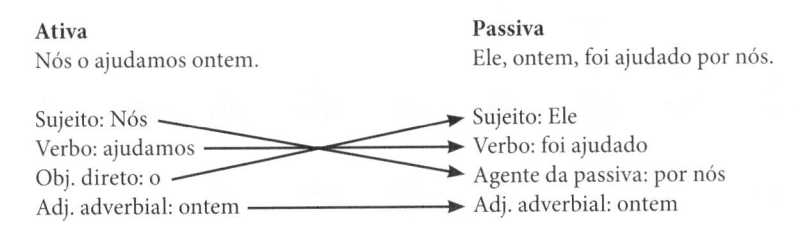

Ativa
Nós o ajudamos ontem.

Passiva
Ele, ontem, foi ajudado por nós.

Sujeito: Nós
Verbo: ajudamos
Obj. direto: o
Adj. adverbial: ontem

Sujeito: Ele
Verbo: foi ajudado
Agente da passiva: por nós
Adj. adverbial: ontem

Exemplo 2 (com o pronome *se* apassivador):

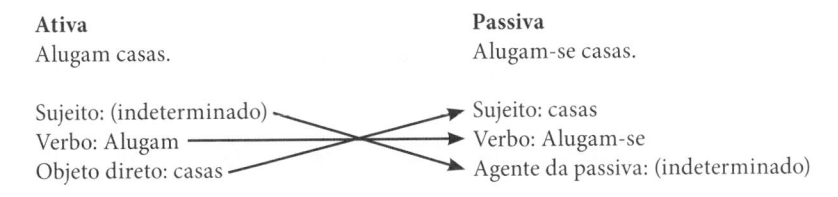

Ativa
Alugam casas.

Passiva
Alugam-se casas.

Sujeito: (indeterminado)
Verbo: Alugam
Objeto direto: casas

Sujeito: casas
Verbo: Alugam-se
Agente da passiva: (indeterminado)

Observação:

➡ A indeterminação do sujeito assinala-se em geral, com o verbo na 3ª pessoa do plural.

Da mesma forma, se quiséssemos passar para a voz reflexiva de sentido passivo um verbo de oração de sujeito indeterminado, bastaria que lhe acrescentássemos o pronome *se* e corrigíssemos sua concordância de acordo com o sujeito da passiva.

Ativa
Alugam casas.
Vendem este apartamento.

Passiva
Alugam-se casas.
Vende-se este apartamento. (Aqui o verbo fica no singular porque o sujeito da passiva está no singular.)

Capítulo 10

Advérbio

Advérbio

É a expressão modificadora do verbo, que, por si só, denota uma circunstância (de lugar, tempo, modo, intensidade, condição, etc.) e desempenha na oração a função de adjunto adverbial:
> *Aqui* tudo vai *bem*. (lugar, modo)

O *advérbio* é constituído por palavra de natureza nominal ou pronominal e se refere geralmente ao verbo, ou ainda, dentro de um grupo nominal unitário, a um adjetivo, a um advérbio (como intensificador) ou a uma declaração inteira:
> José escreve *bem*. (advérbio em referência ao verbo)
> José é *muito* bom escritor. (advérbio em referência ao adjetivo *bom*)
> José escreve *muito* bem. (advérbio em referência ao advérbio *bem*)
> *Felizmente* José chegou. (advérbio em referência a toda a declaração: José chegou). O advérbio deste tipo geralmente exprime um juízo pessoal de quem fala e constitui um comentário à oração.

Locução adverbial

É o grupo geralmente constituído de preposição + substantivo (claro ou subentendido) que tem o valor e o emprego de advérbio: *com efeito, de graça, às vezes, em silêncio, por prazer, sem dúvida, à toa*, etc.

Circunstâncias adverbiais

O advérbio apresenta certa flexibilidade de posição.
As principais circunstâncias expressas por advérbio ou locução adverbial, graças ao significado das palavras empregadas e ao nosso saber do mundo, são:
1) *assunto*: Conversar *sobre música*.
2) *causa*: Morrer *de fome*.

3) *companhia*: Sair *com os amigos*.
4) *concessão*: Voltaram *apesar do escuro*.
5) *condição*: Só entrará *com autorização*. Não sairá *sem licença*.
6) *conformidade*: Fez a casa *conforme a planta*.
7) *dúvida*: *Talvez* melhore o tempo. *Acaso* encontrou o livro?
8) *fim*: Preparou-se *para o baile*.
9) *instrumento*: Escrever *com lápis*.
10) *intensidade*: Andou *mais depressa*.
11) *lugar*: Estuda *aqui*. Foi *lá*. Passou *pela cidade*. Veio *dali*.
12) *modo*: Falou *assim*. Anda *mal*. Saiu *às pressas*.
13) *negação*: *Não* lerá sem óculos. *Sei lá*. (= não sei)
14) *referência*: "O que nos sobra *em glória de ousados e venturosos navegantes*, míngua-nos *em fama de enérgicos e previdentes colonizadores.*" [LCo]
15) *tempo*: Visitaram-nos *hoje*. *Então* não havia recursos. *Sempre* nos cumprimentaram. *Jamais* mentiu. *Já* não fala. Não fala *mais*. *Nunca* vi algo assim.

Observações:

▶ Em *sei lá*, com sentido de 'não sei', além de entoação especial, o *lá* se explica pelo fato de referir-se a algo distante da área do falante e, por isso, no domínio do seu desconhecimento.

▶ A *Nomenclatura Gramatical Brasileira* põe os denotadores de *inclusão, exclusão, situação, retificação, designação, realce*, etc. à parte, sem a rigor incluí-los entre os advérbios, mas constituindo uma classe ou grupo heterogêneo chamado *denotadores*, que coincide, em parte, com a proposta de José Oiticica das *palavras denotativas*, muitas das quais têm papel transfrástico e melhor atendem a fatores de função textual estranhos às relações semântico-sintáticas inerentes às orações em que se acham inseridas:
1) *inclusão*: *também, até, mesmo, inclusive, ademais, além disso, de mais a mais*, etc.:
    Até o professor riu-se./ Ninguém veio, *mesmo* o irmão.
2) *exclusão*: *só, somente, salvo, senão, apenas, exclusive, tirante, exceto*, etc.:
    Só Deus é imortal./ *Apenas* o livro foi vendido.
3) *situação*: *mas, então, pois, afinal, agora*, etc.:
    Mas que felicidade!/ *Então* duvida que se falasse latim?
4) *retificação*: *aliás, melhor, isto é, ou antes*, etc.:
    Comprei cinco, *aliás*, seis livros./ Correu, *isto é*, voou até nossa casa.
5) *designação*: *eis*:
    Eis o homem.

6) *realce*: *é que*, etc.:
   Nós *é que* somos brasileiros.
7) *expletivo*: *lá, só, que, ora*, etc.:
   E eu *lá* disse isso?/ Vejam *só* que coisa!/ Que saudade *que* tenho!/ *Ora*, decidam logo!
8) *explicação*: *a saber, por exemplo*, etc.:
   Eram três irmãos, *a saber*: Pedro, Antônio e Gilberto.

Advérbios de base nominal e pronominal

O advérbio, pela sua origem e significação, se prende a nomes ou pronomes, havendo, por isso, advérbios nominais e pronominais.

Entre os *nominais* se acham aqueles formados de adjetivos acrescidos do "sufixo" *-mente*: *rapidamente* (= de modo rápido), *pessimamente*.

Observação:

➥ Estes advérbios em *-mente* se caracterizam por conservar o acento vocabular de cada elemento constitutivo, ainda que mais atenuado, o que lhes permite, numa série de advérbios, em geral só apresentar a forma em *-mente* no fim: Estuda *atenta* e *resolutamente*. Havendo ênfase, pode-se repetir o advérbio na forma plena:
"A vida humana é uma intriga perene, e os homens são *recíproca* e *simultaneamente* intrigados e intrigantes." [MM]
"Depois, ainda falou *gravemente* e *longamente* sobre a promessa que fizera." [MA]

Entre os *pronominais*, temos:
a) *demonstrativos*: *aqui, aí, acolá, lá, cá*.
b) *relativos*: *onde* (em que), *quando* (em que), *como* (por que).
c) *indefinidos*: *algures, alhures, nenhures, muito, pouco, que*.
d) *interrogativos*: *onde?, quando?, como?, por que...?, por quê?*.

Os advérbios relativos, como os pronomes relativos, servem para referir-se a unidades que estão postas na oração anterior. Nas ideias de lugar empregamos *onde*, ao lado de *em que, no qual* (e flexões):
   A casa *onde* mora é excelente.

Precedido das preposições *a* ou *de*, grafa-se *aonde* e *donde*:
   O sítio *aonde* vais é pequeno.
   É bom o colégio *donde* saímos.

Os advérbios interrogativos de base pronominal se empregam nas perguntas diretas e indiretas em referência ao lugar, tempo, modo ou causa:
Onde está estudando o primo? Ignoro *onde* estuda.
Quando irão os rapazes? Não sei *quando* irão os rapazes.
Como fizeram o trabalho? Perguntei-lhes *como* fizeram o trabalho.
Por que chegaram tarde? Dir-me-ás *por que* chegaram tarde.

Observação:

➠ O *Vocabulário* oficial preceitua que se escreva em duas palavras o advérbio interrogativo *por que*, distinguindo-o de *porque* conjunção.

Adverbialização de adjetivos

Muitos adjetivos, permanecendo imóveis na sua flexão de gênero e número, podem passar a funcionar como advérbio. O critério formal de diferenciação das duas classes de modificador (adjetivo: modificador nominal; advérbio: modificador verbal) é a variabilidade do primeiro e a invariabilidade do segundo:
Eles vendem muito *cara* a fruta. (adjetivo)
Eles vendem *caro* a fruta. (advérbio)

Intensificação gradual dos advérbios

Há certos advérbios, principalmente os de modo, que podem manifestar uma relação intensificadora gradual, empregando-se, no comparativo e superlativo, de acordo com as regras que se aplicam aos adjetivos:

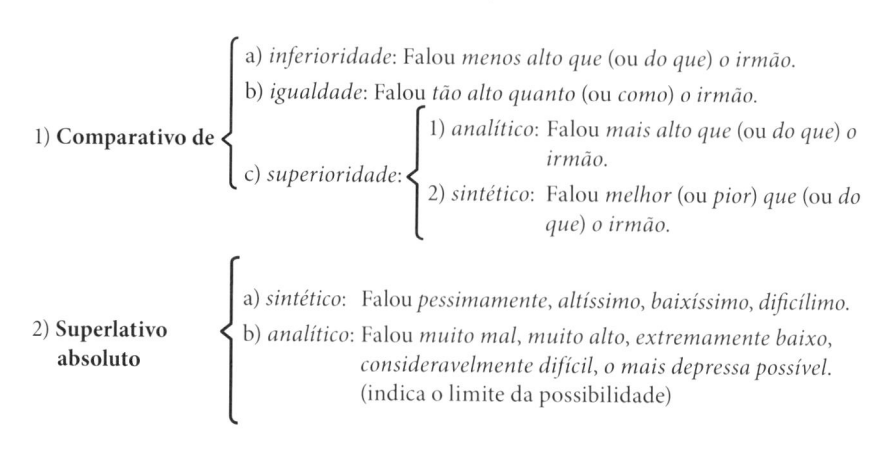

1) **Comparativo de**
 a) *inferioridade*: Falou *menos alto que* (ou *do que*) *o irmão*.
 b) *igualdade*: Falou *tão alto quanto* (ou *como*) *o irmão*.
 c) *superioridade*:
  1) *analítico*: Falou *mais alto que* (ou *do que*) *o irmão*.
  2) *sintético*: Falou *melhor* (ou *pior*) *que* (ou *do que*) *o irmão*.

2) **Superlativo absoluto**
 a) *sintético*: Falou *pessimamente, altíssimo, baixíssimo, dificílimo*.
 b) *analítico*: Falou *muito mal, muito alto, extremamente baixo, consideravelmente difícil, o mais depressa possível*. (indica o limite da possibilidade)

Capítulo II
Preposição

Preposição

Chama-se *preposição* a uma unidade linguística desprovida de independência — isto é, não aparece sozinha no discurso — e, em geral, átona, que se junta a outra palavra para marcar as relações gramaticais que ela desempenha no discurso, quer nos grupos unitários nominais, quer nas orações.

Exerce papel de índice da função gramatical do termo que ela introduz.

Em: *Aldenora gosta de Belo Horizonte*, a preposição *de* une a forma verbal *gosta* ao seu termo complementar *Belo Horizonte* para ser o índice da função gramatical preposicionada *complemento relativo*.

Já em: *homem de coragem*, a mesma preposição *de* vai permitir que o substantivo *coragem* exerça o papel de *adjunto adnominal* do substantivo *homem* — função normalmente desempenhada por adjetivo: homem *corajoso*. Funciona, neste caso, como **transpositor**.

Locução prepositiva

É o grupo de palavras com valor e emprego de uma preposição. Em geral, a locução prepositiva é constituída de advérbio ou locução adverbial seguida da preposição *de*, *a* ou *com*: O garoto escondeu-se *atrás do* móvel.

Às vezes a locução prepositiva se forma de duas preposições, como: *de per* (na locução *de per si*), *até a*, *para com* e *conforme a*: Foi *até ao* colégio.

Algumas das principais locuções prepositivas: *abaixo de, a respeito de, de acordo com, dentro de, detrás de, embaixo de, junto de, na conta de, para com, perante a, por cima de*, etc.

Há palavras que funcionam na língua como preposição e, por isso, se dizem **preposições essenciais**: *a, ante, após, até, com, contra, de, desde, em, entre, para, perante, por* [per], *sem, sob, sobre, trás.*

São **acidentais** as palavras que, perdendo seu valor e emprego primitivos, passaram a funcionar como preposições: *durante, como, conforme, feito, exceto, salvo, visto, segundo, mediante, tirante, fora, afora*, etc.

Só as preposições *essenciais* se acompanham de formas tônicas dos pronomes oblíquos:

Sem mim não fariam isso.
Exceto eu, todos foram contemplados.

Entretanto, com a preposição *entre* nas construções do tipo *entre mim e ti, entre você e mim*, a língua moderna permite, ainda, o emprego de outros pronomes, como, nos exemplos citados, *entre eu e tu, entre você e eu*. (Veja página 61).

Acúmulo de preposições

Não raro duas preposições se juntam para dar maior efeito expressivo às ideias, guardando cada uma seu sentido primitivo: Andou *por sobre* o mar.

Estes acúmulos de preposições não constituem uma locução prepositiva porque valem por duas preposições distintas.

Combinação e contração com outras palavras

Diz-se que há *combinação* quando a preposição, ligando-se a outra palavra, não sofre redução. A preposição *a* combina-se com o artigo definido masculino: *a + o = ao; a + os = aos*.

Diz-se que há *contração* quando, na ligação com outra palavra, a preposição sofre redução. As preposições que se contraem são:

A: *a + a = à; a + as = às* (esta fusão recebe o nome de *crase*); *a + aquele = àquele; a + aqueles = àqueles* (crase); etc.

De: *de + o = do; de + a = da; de + os = dos; de + as = das; de + um = dum; de + uns = duns*; etc.

Em: *em + o = no; em + os = nos; em + a = na; em + as = nas; em + um = num; em + uns = nuns*; etc.

Per: *per + lo = pelo; per + los = pelos; per + la = pela; per + las = pelas*; etc.

Para (pra): *para (pra) + o = pro; para (pra) + os = pros; para (pra) + a = pra; para (pra) + as = pras*; etc.

Co(m): *co(m) + o = co; co(m) + os = cos; co(m) + a = coa; co(m) + as = coas*; etc.

Emprego do *a* acentuado (À)

Emprega-se o acento grave no *a*, nos dois seguintes casos:

1.º) quando representa a contração da preposição *a* com o artigo *a* ou o início de *aquele(s), aquela(s), aquilo*, fenômeno que em gramática se chama *crase*:

Fui à cidade. Entregou o livro à professora. Não se dirigiu àquele homem.
O verbo *ir* pede a preposição *a*; o substantivo *cidade* pede o artigo feminino *a*:
Fui *a a* cidade. Fui *à* cidade.

Observação:

▶ Se o substantivo estiver usado em sentido indeterminado, não estará precedido de artigo definido e, portanto, não ocorrerá à, mas sim simples **a**, que será mera preposição, como no exemplo: Ipanema perderá mais uma casa à beira-mar. O imóvel foi vendido *a* construtora e será demolido para dar lugar *a* prédio.

2.º) quando representa a pura preposição *a* que rege um substantivo feminino singular, formando uma locução adverbial ou adjetiva que, por motivo de clareza, vem assinalada com acento diferencial:
à força, à míngua, à bala, à faca, à espada, à fome, à sede, à pressa, à noite, à tarde, etc.

Observações:

▶ *Crase* é um fenômeno fonético cujo conceito se estende a toda fusão de vogais iguais, e não só ao *a* acentuado.
Não há razão para condenar-se o verbo *crasear* para significar "pôr o acento grave indicativo da crase". O que não se deve é chamar *crase* ao acento grave:
    "Alencar *craseava* a preposição simples *a*." [JO]

▶ A locução *à distância* deverá, a rigor, entrar na norma do 2.º caso anterior, ao lado de *à força, à míngua*, etc. (*Ficou à distância, Ensino à distância*.) Todavia, uma tradição tem-se orientado no sentido de só a usar com acento grave quando a noção de distância estiver expressa: "(...) nos seres que a habitam e que formigam lá embaixo, por entre casas, quelhas e penedos, à distância de um primeiro andar" [CPi]. A prática de bons escritores nem sempre obedece a esta última tradição: "Demorou a perceber que Gato Preto acenava e gritava para ele *à distância*, como se vindo de casa outra vez." [JU]; "Tanto, a que nem seria preciso abaixar-lhe a maxila teimosa, para espiar os cantos dos dentes. Era decrépito mesmo *à distância*: no algodão bruto do pelo (...)." [GR].

Ocorre a crase nos seguintes casos principais:
1.º) Diante de palavra feminina, clara ou oculta, que não repele artigo:
    Fui *à* cidade. Chegou *às* dez horas.

Observação:

▶ O nome que sozinho dispensa artigo pode tê-lo quando acompanhado de adjetivo ou locução adjetiva:
Fui à Copacabana *de minha infância.*
Assim se diz também: Irei à casa paterna.

2.º) Diante do artigo *a* (*as*) e do *a-* inicial dos demonstrativos *aquele, aquela, aquilo*:

Referiu-se { à / àquele } que estava do seu lado.

3.º) Diante de possessivo em referência a substantivo feminino oculto:
Dirigiu-se àquela casa e não à sua. (= à sua casa)

4.º) Nas locuções adverbiais constituídas de substantivo feminino plural: *às vezes, às claras, às ocultas, às escondidas, às pressas.*

Não ocorre a crase nos seguintes casos principais:
1.º) Diante de palavra masculina:
Graças *a* Deus. Foi *a* Ribeirão. Pediu um bife *a* cavalo.

2.º) Diante de palavra de sentido indefinido:
Falou *a* uma pessoa. Falou *a* certa pessoa. Falou *a* cada pessoa.

Observação:

▶ Há acento antes do numeral *uma*: Irei vê-la à uma hora.

3.º) Diante dos pronomes relativos *que* (quando o *a* anterior for uma preposição), *quem, cuja*:
Está aí a pessoa *a* que fizeste alusão. Ali vai a criança *a* quem disseste a notícia. O autor *a* cuja obra a crítica se referiu é muito pouco conhecido.

4.º) Diante de verbo no infinitivo:
Ficou *a* ver navios. Livro *a* sair em breve.

5.º) Diante de pronome pessoal e expressões de tratamento como V.Ex.ª, V.S.ª, V.M., etc. que dispensam artigo:

Não disseram *a* ela e *a* você toda a verdade. Requeiro *a* V. Ex.ª com razão. Mas: Requeiro à senhora. Falei à d. Margarida.

6.º) Nas expressões formadas com a repetição de mesmo termo (ainda que seja um nome feminino), por se tratar de pura preposição:
frente *a* frente, cara *a* cara, face *a* face, gota *a* gota.

7.º) Diante da palavra *casa* quando desacompanhada de adjunto, e da palavra *terra* quando oposta a *bordo*:
Irei *a* casa logo mais (cf. Entrei em casa; Saí de casa). Foram os primeiros a chegar *a* terra firme.

8.º) Nas expressões de duração, distância e em sequência do tipo de *de... a...*:
As aulas serão *de* segunda *a* quinta. Estes fatos ocorreram *de* 1925 *a* 1930. O programa abrange *de* quinta *a* sétima série. A aula terá *de* três *a* cinco horas de duração.

Observação:

▶ Se as expressões começam com preposição combinada com artigo, emprega-se à ou às no segundo termo: A aula será *das* 8 às 10 horas. O treino será *das* 10 à 1 da tarde. *Da* uma às duas haverá intervalo. O programa abrange *da* quinta à sétima série.

9.º) Depois de preposição, exceto *até* (= limite):
Só haverá consulta *após as* dez horas. *Desde as* nove espero o médico. O presidente discursou *perante a* Câmara.

A crase é facultativa nos seguintes casos principais:
1.º) Antes de pronome possessivo com substantivo feminino claro (uma vez que o emprego do artigo antes de pronome possessivo é opcional):

Dirigiu-se $\begin{cases} à \\ a \end{cases}$ minha casa, e não à sua.

Dirigiu-se $\begin{cases} às \\ a \end{cases}$ minhas irmãs.

No português moderno dá-se preferência ao emprego do possessivo com artigo e, neste caso, ao *a* acentuado (à minha casa; às minhas irmãs).

2.º) Antes de nome próprio feminino:

As alusões eram feitas $\begin{cases} à \\ a \end{cases}$ Ângela.

3.º) Antes da palavra *casa* quando acompanhada de expressão que denota o dono ou morador, ou qualquer qualificação:

Irei $\begin{cases} à \\ a \end{cases}$ casa de meus pais.

A e há

Na escrita há de se ter o cuidado de não confundir a preposição *a* e a forma verbal *há* nas indicações de tempo. Usa-se *a* (preposição) para o tempo que ainda vem: Daqui *a* três dias serão os exames. A resposta estava *a* anos de ser encontrada.

Usa-se *há* (verbo) para o tempo passado: *Há* três dias começaram os exames. Ainda *há* pouco estava em casa.

Cuidado especial merecem também as expressões *a cerca de* e *há cerca de*, onde a locução *cerca de* (= aproximadamente, perto de, mais ou menos) vem precedida da preposição *a* ou da forma verbal *há*:
    Ele falou *a cerca de* mil ouvintes. (= para cerca de mil ouvintes)
    Há cerca de trinta dias foi feita esta proposta.

Temos, ainda, a locução *acerca de*, que significa 'sobre', 'a respeito de', 'em relação a':
    O professor dissertou *acerca dos* progressos científicos.

Capítulo 12

Conjunção

Conector e transpositor

A língua possui unidades que têm por missão reunir orações num mesmo enunciado.

Estas unidades são tradicionalmente chamadas *conjunções*, que se têm repartido em dois tipos: *coordenativas* e *subordinativas*.

As conjunções coordenativas reúnem orações que pertencem ao mesmo nível sintático: dizem-se *independentes* umas das outras e, por isso mesmo, podem aparecer em enunciados independentes:

Pedro fez concurso para medicina e *Maria se prepara para a mesma profissão.*
Pedro fez concurso para medicina. Maria se prepara para a mesma profissão.
Daí ser a conjunção coordenativa um *conector*.

Como sua missão é reunir unidades independentes, pode também "conectar" duas unidades menores que a oração, desde que de igual valor funcional dentro do mesmo enunciado. Assim:

Pedro *e* Maria (dois substantivos)
Ele *e* ela (dois pronomes)
Ontem *e* hoje (dois advérbios)

Bem diferente é, entretanto, o papel da chamada conjunção subordinativa. No enunciado:

Soubemos que vai chover,

a missão da conjunção subordinativa é assinalar que a oração que poderia constituir sozinha um enunciado: *Vai chover*, se insere num enunciado complexo em que ela (*vai chover*) perde a característica de enunciado independente, de oração, para exercer, num nível inferior da estruturação gramatical, a função de *palavra*, já que *vai chover* é agora objeto direto do núcleo verbal *soubemos*.

Assim, a conjunção subordinativa é um *transpositor* de um enunciado, que passa a uma função de palavra, portanto de nível inferior dentro das camadas de estruturação gramatical.

Conectores ou conjunções coordenativas

Os conectores ou conjunções coordenativas são de três tipos, conforme o significado com que envolvem a relação das unidades que unem: *aditivas*, *alternativas* e *adversativas*.

Conjunções aditivas

A conjunção aditiva apenas indica que as unidades que une (palavras, grupos de palavras e orações) estão marcadas por uma relação de adição. Temos dois conectores aditivos: *e* (para a adição das unidades positivas) e *nem* (para as unidades negativas):
"O velho teme o futuro *e* se abriga no passado."
"Não emprestes o vosso *nem* o alheio, não tereis cuidados *nem* receio."

Em lugar de *nem* usa-se *e não*, se a primeira unidade for positiva e a segunda negativa: rico *e não* honesto. (Compare com: Ele *não* é rico *nem* honesto.)

> **Observação:**
>
> ➡ A expressão enfática da conjunção aditiva *e* pode ser expressa pela série de valor aditivo *não só... mas também* e equivalentes (*não só... como; não só... senão também*, etc.):
> *Não só* o estudo *mas também* a sorte são decisivos na vida.

Conjunções alternativas

Como o nome indica, a conjunção alternativa enlaça as unidades coordenadas matizando-as de um valor alternativo, quer para exprimir a incompatibilidade dos conceitos envolvidos, quer para exprimir a equivalência deles. A conjunção alternativa por excelência é *ou*, sozinha ou duplicada, junto a cada unidade:
"Quando a cólera *ou* o amor nos visita, a razão se despede." [MM]

Conjunções adversativas

Enlaça a conjunção adversativa unidades apontando uma oposição entre elas. As adversativas por excelência são *mas*, *porém* e *senão*:
"Acabou-se o tempo das ressurreições, *mas* continua o das insurreições." [MM]

Unidades adverbiais que não são conjunções coordenativas

Levada pelo aspecto de certa proximidade de equivalência semântica, a tradição gramatical tem incluído entre as conjunções coordenativas certos advérbios que estabelecem relações interoracionais ou intertextuais. É o caso de *pois, logo, portanto, entretanto, contudo, todavia, não obstante*. Assim, além das conjunções coordenativas já assinaladas, teríamos as *explicativas* (*pois, porquanto*, etc.) e *conclusivas* (*pois* [posposto], *logo, portanto, então, assim, por conseguinte*, etc.), sem contar *contudo, entretanto, todavia*, que se alinhavam junto com as *adversativas*.

Transpositores ou conjunções subordinativas

O transpositor ou conjunção subordinativa transpõe oração subordinada ao nível de equivalência de um substantivo capaz de exercer na *oração complexa* uma das funções sintáticas que têm por núcleo o substantivo.

Além do *que* transpositor de oração ao nível de substantivo, chamado *conjunção integrante*, e do *que* pronome relativo, que transpõe oração ao nível de adjetivo, a língua portuguesa conta com poucos outros transpositores:

1) *Se*, como *conjunção integrante*, a exemplo do *que* anterior:
   Ela não sabe *se terá sido aprovada*.

2) *Se*, que transpõe oração ao nível de advérbio, e como tal está habilitada a exercer a função de adjunto adverbial, com valor de circunstância de condição, chamada *conjunção condicional*:
   "Não acabaria *se houvesse de contar pelo mundo o que padeci nas primeiras horas*." [MA]

Lista das principais conjunções e locuções conjuntivas subordinativas, relacionando-as pelo matiz semântico:

1) **Causais**: quando introduzem oração que exprime a causa, o motivo, a razão do pensamento da oração principal: *que* (= porque), *porque, como* (= porque, sempre anteposta à sua principal, no português moderno), *visto que, visto como, já que, uma vez que* (com verbo no indicativo), *desde que* (com o verbo no indicativo), etc.:
   "*Como* ia de olhos fechados, não via o caminho." [MA]

2) **Concessivas**: quando introduzem oração que exprime que um obstáculo — real ou suposto — não impedirá ou modificará a declaração da oração principal: *ainda que, embora, posto que* (= ainda que, embora), *se bem que, apesar de que*, etc.:
   "*Ainda que* perdoemos aos maus, a ordem moral não lhes perdoa, e castiga a nossa indulgência." [MM]

3) **Condicionais** (e *hipotéticas*): quando introduzem oração que em geral exprime:
a) uma condição necessária para que se realize ou se deixe de realizar o que se declara na oração principal;
b) um fato — real ou suposto — em contradição com o que se exprime na principal.
   Este modo de dizer é frequente nas argumentações. As principais conjunções condicionais (e hipotéticas) são: *se, caso, sem que, uma vez que* (com o verbo no subjuntivo), *desde que* (com o verbo no subjuntivo), *dado que, contanto que*, etc.:
   "*Se* os homens não tivessem alguma coisa de loucos, seriam incapazes de heroísmo." [MM]

4) **Conformativas**: quando introduzem oração que exprime um fato em conformidade com outro expresso na oração principal: *como, conforme, segundo, consoante*:
   "Tranquilizei-a *como* pude." [MA]

5) **Finais**: quando introduzem oração que exprime a intenção, o objetivo, a finalidade da declaração expressa na oração principal: *para que, a fim de que, que* (= para que), *porque* (= para que):
   "Levamos ao Japão o nosso nome, *para que* outros mais felizes implantassem naquela terra singular os primeiros rudimentos da civilização ocidental." [FB]

6) **Modais**: quando introduzem oração que exprime o modo pelo qual se executou o fato expresso na oração principal: *sem que, como*:
   Fez o trabalho *sem que* cometesse erros graves.
   Entrou na sala *como* bem quis.

Observação:

➥ A *Nomenclatura Gramatical Brasileira* não reconhece as conjunções modais e, assim, as orações modais, apesar de pôr o modo entre as circunstâncias adverbiais.

7) **Proporcionais**: quando introduzem oração que exprime um fato que ocorre, aumenta ou diminui na mesma proporção daquilo que se declara na oração principal: *à medida que, à proporção que, ao passo que*:
   Progredia *à medida que* se dedicava aos estudos sérios.

8) **Temporais**: quando introduzem oração que exprime o tempo da realização do fato expresso na oração principal. As principais conjunções e "locuções temporais" são:

a) para o tempo anterior: *antes que, primeiro que* (raro):
   Saiu *antes que* eu lhe desse o recado.

b) para o tempo posterior (de modo vago): *depois que, quando*:
   Saiu *depois que* ele chegou.

c) para o tempo posterior imediato: *logo que, tanto que* (raro), *assim que, desde que, apenas, mal, eis que, (eis) senão quando, eis senão que*:
   Saiu *logo que* ele chegou.

d) para o tempo frequentativo (repetido): *quando* (estando o verbo no presente), *todas as vezes que, (de) cada vez que, sempre que*:
   Todas as vezes que saio de casa, encontro-o à esquina.

e) para o tempo concomitante: *enquanto, (no) entretanto que* (hoje raro):
   Dormia *enquanto* o professor dissertava.

f) para o tempo limite terminal: *até que*:
   Brincou *até que* fosse repreendido.

Capítulo 13

Interjeição

Interjeição

É a expressão com que traduzimos os nossos estados emotivos. Têm elas existência autônoma e, a rigor, constituem por si verdadeiras orações.

As interjeições se repartem por quatro tipos:
1) Certos sons vocálicos que na escrita se representam de maneira convencional: *ah!*, *oh!*, *ui!*, *hum* (o *h* no final pode marcar uma aspiração, alheia ao sistema do português).
2) Palavras já correntes na língua, como: *olá!*, *puxa!*, *bolas!*, *bravo!*, *homem!*, *valha!*, *viva!* (com contorno melódico exclamativo).
3) Palavras que procuram reproduzir ruídos de animais ou de objetos, ou de outra origem, como: *clic* (*clique*), *pá!*, *pum!*.
4) Locuções interjetivas: *ai de mim!*, *valha-me Deus!*.

Locução interjetiva

É um grupo de palavras com valor de interjeição: *Ai de mim!, Ora bolas!, Com todos os diabos!, Valha-me Deus!, Macacos me mordam!.*

PARTE 3

Orações complexas e grupos oracionais

Capítulo 14
A subordinação e a coordenação. A justaposição

Capítulo 15
As chamadas orações reduzidas

Capítulo 16
As frases: enunciados sem núcleo verbal

Capítulo 14

A subordinação e a coordenação. A justaposição

Subordinação: oração complexa

Uma oração independente do ponto de vista sintático constitui um texto se este nela se resumir, como em: A noite chegou.

Pode, entretanto, pelo fenômeno de estruturação das camadas gramaticais conhecido por *subordinação*, passar a uma camada inferior e aí funcionar como membro sintático de outra unidade: O caçador percebeu *que a noite chegou*.

A primitiva oração independente *a noite chegou* transportou-se do nível sintático de independência para exercer a função de complemento ou objeto direto da relação predicativa da oração a que pertence o núcleo verbal *percebeu*: *o caçador percebeu*.

Dizemos, então, que a unidade sintática *que a noite chegou* é uma oração subordinada. A gramática chama à unidade *o caçador percebeu* oração principal. Gramaticalmente, a unidade oracional *O caçador percebeu que a noite chegou* é uma unidade sintática igual a *O caçador percebeu a chegada da noite*, onde *a chegada da noite* integra indissoluvelmente a relação predicativa que tem por núcleo o verbo *percebeu*, na função de complemento ou objeto direto.

Assim, temos:
Sujeito: *o caçador*
Predicado: *percebeu que a noite chegou*
Objeto direto: *que a noite chegou*
Como o objeto direto está constituído por uma oração subordinada, são passíveis de análise suas unidades sintáticas constitutivas:
Sujeito: *a noite*
Predicado: *chegou*

A rigor, o conjunto complexo *que a noite chegou* não passa de um termo sintático na oração complexa *O caçador percebeu que a noite chegou*, que funciona como objeto direto do núcleo verbal *percebeu*. Estas unidades transpostas exercem função própria de meros substantivos, adjetivos e advérbios, razão por que são assim classificadas na oração complexa: orações subordinadas substantivas, adjetivas e adverbiais.

Diferente deste caso será o *grupo oracional* integrado por orações sintaticamente independentes, que, por isso, poderiam aparecer em separado:

O caçador chegou à cidade e procurou um hotel.

Temos aqui um grupo de enunciados da mesma camada gramatical, isto é, como *orações*, o que caracteriza uma das propriedades de estruturação das camadas gramaticais conhecida por *coordenação*.

No exemplo *O caçador percebeu que a noite chegou*, a marca de que a oração independente passou, pelo processo da subordinação, a funcionar como membro de uma outra oração é o *que*, conhecido tradicionalmente como "conjunção" integrante.

Daí não corresponder à nova realidade material da unidade sintática subordinada a denominação tradicional de *orações compostas* ou *período composto*. Temos sim orações *complexas*, isto é, orações que têm termos determinantes complexos, representados sob forma de outra oração. Rigorosamente, só haverá orações ou períodos *compostos* quando houver *coordenação*.

Orações complexas de transposição substantiva

A oração transposta, inserida na oração complexa, é classificada conforme a categoria gramatical a que corresponde e pela qual pode ser substituída no desempenho da mesma função. Daí ser a oração transposta classificada como *substantiva, adjetiva* ou *adverbial*, segundo a tradição gramatical, pois desempenha função sintática normalmente constituída por substantivo, adjetivo ou advérbio.

A oração subordinada transposta substantiva aparece inserida na oração complexa exercendo funções próprias do substantivo, ressaltando-se que a "conjunção" *que* pode vir precedida de preposição, conforme exerça função que necessite desse índice funcional:

   a) Sujeito: Convém *que tu estudes*. / Convém *o teu estudo*.
   b) Objeto direto: O pai viu *que a filha saíra*. / O pai viu *a saída da filha*.
   c) Complemento relativo: Todos gostam *de que sejam premiados*. / Todos gostam *de prêmio*.
   d) Predicativo: A verdade é *que todos foram aprovados*. / A verdade é *a aprovação de todos*.
   e) Objeto indireto: Enildo dedica sua atenção *a que os filhos se eduquem*. / Enildo dedica sua atenção *à educação dos filhos*.
   f) Aposto: Uma coisa lhe posso adiantar, *que as crianças virão*. / Uma coisa lhe posso adiantar, *a vinda das crianças*.

Orações complexas de transposição adjetiva

Tomemos a seguinte oração:
O aluno estudioso vence na vida,
em que o adjunto adnominal representado pelo adjetivo *estudioso* pode também ser representado por uma oração que, pela equivalência semântica e sintática com *estudioso*, se chama *adjetiva*:

O aluno   *que estuda*   vence na vida.

O transpositor relativo *que*, na oração subordinada, reintroduz o antecedente a que se refere e acumula também uma função de acordo com a estrutura sintática da oração transposta.

O adjetivo pode antepor-se ou pospor-se ao substantivo e, segundo sua posição, o adjetivo pode variar de valor. Em geral, o adjetivo anteposto traduz, por parte da perspectiva do falante, valor *explicativo*: *a triste vida*. Aqui o adjetivo não designa nenhum tipo de *vida* que se oponha a outro que não seja *triste*; apenas se descreve como a *vida* é. Agora, se disséssemos *a vida triste*, nos estaríamos restringindo a uma realidade que se opõe a outras, como *vida alegre, vida boêmia*, etc. Neste caso, o adjetivo se diz *restritivo*.

A oração adjetiva também conhece esses dois valores; a adjetiva explicativa alude a uma particularidade que não modifica a referência do antecedente e que, por ser mero apêndice, pode ser dispensada sem prejuízo total da mensagem. Na língua oral, aparece marcada por pausa em relação ao antecedente e, na escrita, é assinalada por adequado sinal de pontuação, em geral, entre vírgulas:

O homem, que vinha a cavalo, parou defronte da igreja.
Já em
O homem que vinha a cavalo parou defronte da igreja,
a oração adjetiva, proferida sem pausa e não indicada na escrita por sinal de pontuação a separá-la do antecedente, demonstra que nesta narração havia mais de um homem, mas só o "que vinha a cavalo" *parou defronte da igreja*. A esta subordinada adjetiva se chama *restritiva*.

À semelhança do que se fez com a oração complexa, em *O aluno que estuda vence na vida*, temos:
Sujeito: *O aluno que estuda*
Predicado: *vence na vida*
Adjunto adverbial: *na vida*
Como o adjunto adnominal está constituído por uma oração subordinada adjetiva, são passíveis de análise suas unidades sintáticas constitutivas:
Sujeito: *que* (= o aluno)
Predicado: *estuda*

As orações adjetivas iniciam-se por pronome relativo *que*, além de marcar a subordinação, exerce uma função sintática na oração a que pertence.

É importante assinalar que a função sintática do pronome relativo nada tem que ver com a função do seu antecedente; *ela é indicada pelo papel que desempenha na oração subordinada a que pertence.*

a) *Que* — não precedido de preposição necessária — pode exercer as funções de sujeito, objeto direto ou predicativo:
   O menino *que* estuda aprende. (sujeito)
   O livro *que* lemos é instrutivo. (objeto direto)
   Somos o *que* somos. (predicativo)

b) *Que* — precedido de preposição necessária — pode exercer as funções de objeto indireto, complemento relativo, complemento nominal, adjunto adverbial ou agente da passiva:
   A pessoa *a que* entreguei o livro deixou-o no táxi. (objeto indireto)
   Os filmes *de que* gostamos são muitos. (complemento relativo)
   O livro *de que* tenho necessidade é caro. (complemento nominal)
   A caneta *com que* escrevo não está boa. (adjunto adverbial de meio / instrumento)
   Esta é a obra *por que* foi dado o maior lance. (agente da passiva)

c) *Quem* — sempre em referência a pessoas ou coisas personificadas — só se emprega precedido de preposição e exerce as seguintes funções sintáticas:
   Ali vai o professor *a quem* ofereci o livro. (objeto indireto)
   Apresento-te o amigo *a quem* hospedei no verão passado. (objeto direto preposicionado)
   Não conheci o professor *a quem* te referes. (complemento relativo)
   As companhias *com quem* andas são péssimas. (adjunto adverbial)
   O amigo *por quem* fomos enganados desapareceu. (agente da passiva)

d) *Cujo(s), cuja(s)* — precedidos ou não de preposição — valem sempre *do qual, da qual, dos quais, das quais* (caso em que a preposição *de* tem sentido de posse) e funcionam como adjunto adnominal do substantivo seguinte com o qual concordam em gênero e número:
   O homem *cuja* casa comprei embarcou ontem. (= a casa do qual)
   Terminei o livro *sobre cuja* matéria tanto discutíamos. (= sobre a matéria do qual)

Adjetivação de oração originariamente substantiva

A unidade complexa *homem corajoso* pode ser substituída por *homem de coragem*, em que o substantivo *coragem*, transposto por uma preposição ao papel integrante de locução adjetiva, funciona também como adjunto do núcleo nominal.

Esta mesma possibilidade de transposição a adjetivo modificador de um grupo nominal mediante o concurso de preposição conhece a oração originariamente substantiva:

O desejo de que se apurem os fatos é a maior preocupação dos diretores.

O *que* que introduz a oração *que se apurem os fatos* é um transpositor de oração subordinada, igual a *a apuração dos fatos*. Precedida da preposição *de*, a oração substantiva fica habilitada a exercer a função de adjetivo (adjunto adnominal) do substantivo *desejo*. É operação idêntica à que vimos em *homem corajoso* → *homem de coragem*.

Este grupo nominal pode ter como núcleo um substantivo ou um adjetivo.
Núcleo substantivo:

O desejo *de que se apurem os fatos* é a maior preocupação dos diretores.
A crença *em que a crise se espalhe* atormenta todos nós.
A desconfiança *de se devemos ir avante* é logo desfeita.

Núcleo adjetivo:
Estávamos todos desejosos *de que o concurso saísse logo*.
O negociante estava cônscio *de que sua responsabilidade era grande*.

Observação:

▶ Sendo as expressões preposicionadas *desejo de glória, ânsia de liberdade, desejoso de glória, ansioso de liberdade* modificadoras dos núcleos nominais e, por isso mesmo, chamadas *complementos nominais* e funcionalmente partícipes da natureza dos adjetivos, manda a coerência que as orações que funcionam como complemento nominal sejam incluídas entre as adjetivas — como fizemos aqui — e não entre as substantivas, como faz a tradição entre nós. Como vimos, elas são primitivamente substantivas, mas que, num segundo momento de estruturação, para funcionarem como modificadoras de substantivos e adjetivos, são transpostas a adjetivas mediante o concurso da preposição. Estamos aqui com a lição do linguista espanhol Alarcos Llorach.

Ocorre o mesmo com as orações que funcionam como agente da passiva que, primitivamente substantivas, são transpostas a adverbiais mediante a preposição *por*.

Orações complexas de transposição adverbial

Refletindo a classe heterogênea dos advérbios, também as orações transpostas que exercem funções da natureza do advérbio se repartem por dois grupos:

a) as subordinadas adverbiais propriamente ditas, porque exercem função própria de advérbio ou locução adverbial e podem ser substituídas por um destes: estão neste caso as que exprimem as noções de *tempo, lugar, modo* (substituíveis por advérbio), *causa, concessão, condição* e *fim* (substituíveis por locuções adverbiais formadas por substantivo e grupos nominais equivalentes introduzidos pelas respectivas preposições);
b) as subordinadas *comparativas* e *consecutivas*.

1. Causais

Quando exprimem a causa, o motivo do pensamento expresso na oração principal:
"A memória dos velhos é menos pronta *porque o seu arquivo é muito extenso.*" [MM]

2. Comparativas

As orações subordinadas comparativas, geralmente, não repetem certos termos que, já existentes na sua principal, são facilmente subentendidos:
Nada conserva e resguarda tanto a vida *como a virtude.* (*conserva e resguarda...*)

Para evitar confusões no sentido, usam-se as comparativas *como, que, do que* junto ao sujeito e, seguidas de preposição, *como a, que a, do que a* junto de objeto direto (o *a* é preposição):
Estimo-o *como um pai.* (= como um pai estima)
Estimo-o *como a um pai.* (= como se estima a um pai)

Por meio de *como se* indicamos que o termo de comparação é hipotético:
"O velho fidalgo estremeceu *como se acordasse sobressaltado.*" [RS]

Observação:

▶ A maioria dos gramáticos de língua portuguesa prefere desdobrar o *como se* em duas orações, sendo a primeira comparativa e a segunda condicional.

O verbo *preferir* sugere uma ideia implícita de comparação, à semelhança de *querer mais, querer antes*, mas exige complemento regido da preposição *a*:
Prefiro a praia *ao campo*.

3. Concessivas

A oração concessiva indica que um obstáculo — real ou suposto — não impedirá ou modificará a declaração da oração principal. Iniciada por *ainda que, embora, posto que, se bem que, conquanto*, etc.:
    Embora chova, sairei.

4. Condicionais

A oração condicional exprime um fato que não se realizou ou, com toda a certeza, não se realizará:
  a) falando-se do presente:
    Se eu sou aplicado, obterei o prêmio.

  b) falando-se do passado:
    Se eu fosse aplicado, obteria o prêmio.

As orações condicionais não só exprimem condição, mas ainda podem encerrar as ideias de hipótese, eventualidade, concessão, tempo, sem que muitas vezes se possam traçar demarcações entre esses vários campos do pensamento.

5. Consecutivas

A oração consecutiva é introduzida pelo transpositor *que* a que se prende, na principal, uma expressão de natureza intensiva como *tal, tanto, tão, tamanho*, termos que também se podem facilmente subentender:
    Alongou-se tanto no passeio, *que chegou tarde*.

A oração consecutiva não só exprime a consequência devida à ação ou ao estado indicado na principal, mas pode denotar que se deve a consequência ao modo pelo qual é praticada a ação da principal. Para este último caso servimo-nos, na oração principal, das unidades complexas *de tal maneira, de tal sorte, de tal forma, de tal modo*:
    Convenceu-se de tal maneira *que surpreendeu a todos*.

6. Finais

A oração final exprime a intenção, o objetivo, a finalidade da declaração expressa na oração principal: *para que, a fim de que, que* (= para que), *porque* (= para que).
Abreviadamente usa-se *não* + subjuntivo com o valor de *para que não, de modo que não*, quando se quer expressar cautela, cuidado, restrição:

"Senhor, que estás nos céus, e vês as almas,
Que cuidam, que propõem, que determinam,
Alumia minha alma, *não se cegue
No perigo*, em que está." [AF]

7. Temporais

A oração temporal exprime o tempo da realização do fato expresso na oração principal. Advérbios e unidades adverbializadas (*ontem, hoje, há muito, há pouco, há tantos anos*, etc.), precedidos da preposição *de*, são transpostos a adjetivos (adjuntos adnominais):
   As notícias *de hoje*.
   De há muito não o vejo.

Grupos oracionais: a coordenação

As orações coordenadas são orações sintaticamente independentes entre si e que se podem combinar para formar *grupos oracionais* ou *períodos compostos*, como dissemos na página 103:
   Mário lê muitos livros e aumenta sua cultura.

As duas orações são sintaticamente independentes, porque, ao analisar a primeira (*Mário lê muitos livros*), verificamos que possui todos os termos sintáticos previstos na relação predicativa, ao contrário da oração complexa:
Sujeito: *Mário*
Predicado: *lê muitos livros*
Objeto direto: *muitos livros*

As orações coordenadas estão ligadas por conectores chamados conjunções coordenativas, que apenas marcam o tipo de relação semântica que o falante manifesta entre os conteúdos de pensamento designado em cada uma das orações sintaticamente independentes. Tais orações ligadas pelas conjunções coordenativas se dizem, por isso, *sindéticas*.
São três as relações semânticas marcadas pelas conjunções coordenativas ou conectores:
   1) *Aditiva*
      Pedro estuda *e* Maria trabalha.
      Pedro não estuda *nem* trabalha.

   2) *Adversativa*
      João veio visitar o primo, *mas* não o encontrou.

3) *Alternativa*
Estudas *ou* brincas.

A justaposição

Ao lado da presença de transpositores e conectores, as orações podem encadear-se, como ocorre com os termos sintáticos dentro da oração, sem que venham entrelaçadas por unidades especiais; basta-lhes apenas a sequência, em geral proferida com contorno melódico descendente e com pausa demarcadora, assinalada quase sempre na escrita por vírgulas, ponto e vírgula e, ainda, por dois-pontos: este procedimento de enlace chama-se *assindetismo* ou *justaposição*.

Observações:

➡ Podem-se incluir nas orações justapostas aquelas que a gramática tradicional arrola sob o rótulo de coordenadas distributivas, caracterizadas por virem enlaçadas pelas unidades que manifestam uma reiteração anafórica do tipo de *ora...ora, já...já, quer...quer, um...outro, este...aquele, parte...parte, seja...seja*, e que assumem valores distributivos alternativos e, subsidiariamente, concessivos, temporais, condicionais.

➡ Do ponto de vista constitucional, essas unidades são integradas por várias classes de palavras: substantivo, pronome, advérbio e verbo, e do ponto de vista funcional não se incluem entre os conectores que congregam orações coordenadas: *Ora* eram eles capazes de atos de vandalismo, *ora* eram capazes de atos de ajuda ao próximo.

Também se incluem nos grupos oracionais como orações justapostas as *intercaladas*, também caracterizadas por estarem separadas do conjunto por pausa e por contorno melódico particular. Na escrita, aparecem marcadas por vírgula, travessão ou parênteses. Assim, dois períodos independentes, como *Janete viajou para o Recife* e *Deus a acompanhe*, podem se juntar em um só texto do tipo: *Janete — Deus a acompanhe — viajou para o Recife*. O primitivo texto *Deus a acompanhe*, agora incorporado, chama-se oração intercalada, e o faz por justaposição, isto é, sem conectivo para ligá-las. Gramáticos há que preferem considerar as duas opções como dois períodos independentes.

Discurso direto, indireto e indireto livre

O português, como outras línguas, apresenta normas textuais para nos referirmos, no enunciado, às palavras ou pensamentos de responsabilidade do nosso interlocutor, mediante os chamados *discurso direto, discurso indireto* e *discurso indireto livre.*

No discurso direto reproduzimos ou supomos reproduzir fiel e textualmente as nossas palavras e as do nosso interlocutor, em diálogo, com a ajuda explícita ou não de verbos como *disse, respondeu, perguntou, retrucou* ou sinônimos (os chamados verbos *dicendi*). Às vezes, usam-se outros verbos de intenção mais descritiva, como *gaguejar, balbuciar, berrar,* etc. São os *sentiendi,* que exprimem reação psicológica do personagem. No diálogo, a sucessão da fala dos personagens é indicada por travessão (outras vezes, pelos nomes dos intervenientes):

José Dias recusou, dizendo:
— *É justo levar a saúde à casa de sapé do pobre.*

No discurso indireto, os verbos *dicendi* se inserem na oração principal de uma oração complexa, tendo por subordinadas as porções do enunciado que reproduzem as palavras próprias ou do nosso interlocutor. Introduzem-se pelo transpositor *que,* pela dubitativa *se* e pelos pronomes e advérbios de natureza pronominal *quem, qual, onde, como, por que, quando,* etc.

Perguntei *se lavou as orelhas.*

O discurso indireto livre consiste em, conservando os enunciados próprios do nosso interlocutor, não lhe fazer referência direta. Como ensina Mattoso Câmara, mediante o estilo indireto livre reproduz-se a fala dos personagens — inclusive do narrador — sem "qualquer elo subordinativo com um verbo introdutor *dicendi*". Tomando o exemplo anterior (discurso direto), bastaria suprimir a forma verbal *dizendo* e construir dois períodos independentes com as duas partes restantes:

José Dias recusou. Era justo levar a saúde à casa de sapé do pobre.

Uma particularidade do estilo indireto livre é a permanência das interrogações e exclamações da forma oracional originária, ao contrário do caráter declarativo do estilo indireto:

"Minha mãe foi achá-lo à beira do poço, e intimou-lhe que vivesse. *Que maluquice era aquela de parecer que ia ficar desgraçado, por causa de uma gratificação a menos, e perder um emprego interino? Não, senhor, devia ser homem, pai de família, imitar a mulher e a filha...*" [MA]

Decorrência de subordinadas

A oração principal é aquela que tem um dos seus termos sob forma de outra oração. Num período, mais de uma oração — qualquer que seja o seu valor sintático — pode acompanhar-se de oração subordinada:

Não sei se José disse que viria hoje.

A 1.ª principal pede a oração subordinada objetiva direta *se José disse,* que, por sua vez, pede a terceira, *que viria hoje.* Assim sendo, a 2.ª oração se nos apresenta sob duplo aspecto sintático: subordinada em relação à 1.ª e principal em relação à 3.ª.

Havendo mais de uma oração principal, designá-las-emos, respectivamente, por principal de 1.ª categoria, de 2.ª categoria, de 3.ª categoria, e assim por diante. Então:
1.ª oração – principal de 1.ª categoria:
Não sei + subordinada

2.ª oração – subordinada substantiva objetiva direta (em relação à anterior) e principal de 2.ª categoria (em relação à seguinte):
se José disse + subordinada

3.ª oração – subordinada substantiva objetiva direta:
que viria hoje.

Concorrência de subordinadas: equipolência interoracional

Assim como uma oração pode depender de outra subordinada, assim também duas ou mais orações subordinadas podem servir à mesma principal:
Espero que estudes e que sejas feliz.

Isto é:

Espero
{
que estudes (objetiva direta)
e
que sejas feliz. (objetiva direta)
}

Como a concorrência de subordinadas só é possível se as orações exercem a mesma função, elas estarão coordenadas entre si, porque a coordenação se dá com expressões do mesmo valor e na mesma camada de estruturação gramatical. A 3.ª oração se nos apresenta sob duplo aspecto sintático: é coordenada em relação à 2.ª (porque são do mesmo valor) e subordinada em relação à principal (*espero*), comum às duas subordinadas. Em vez desta classificação um tanto longa (coordenada à anterior e subordinada à principal), podemos dizer apenas que a 3.ª oração é *equipolente* à 2.ª oração. Infelizmente, esta denominação cômoda não consta na *Nomenclatura Gramatical Brasileira*.

A equipolente pode ser: substantiva, adjetiva ou adverbial.

Observação:

➡ Quando o período encerra mais de um tipo de oração, dá-se-lhe comumente o nome de *misto*, denominação que a *Nomenclatura Gramatical Brasileira* não adota:

"Agora sim, disse então aquela cotovia astuta, agora sim, irmãs, levantemos o voo e mudemos a casa, que vem quem lhe dói a fazenda." [MBe]

1.ª oração do 1.º período – coordenada (ou coordenante):
Agora sim, agora sim, irmãs, levantemos o voo

2.ª oração do 1.º período – coordenada aditiva e principal da 3.ª:
e mudemos a casa

3.ª oração do 1.º período – subordinada causal e principal da 4.ª:
que vem

4.ª oração do 1.º período – subordinada substantiva subjetiva:
quem lhe dói a fazenda

1.ª oração do 2.º período – justaposta de citação:
disse então aquela cotovia astuta

Capítulo 15

As chamadas orações reduzidas

Que é oração reduzida

Oração reduzida é a que apresenta seu verbo (principal ou auxiliar, este último nas locuções verbais), respectivamente, no infinitivo, gerúndio e particípio (reduzidas infinitivas, gerundiais e participiais).

> **Observações:**
>
> ➠ Havendo locução verbal, é o auxiliar que indica o tipo de reduzida. Assim são exemplos de reduzidas de gerúndio: *estando amanhecendo, tendo de partir, tendo partido*; são exemplos de reduzidas de infinitivo: *ter de partir, depois de ter partido*; é exemplo de reduzida de particípio: *acabado de partir*. Se, por outro lado, o auxiliar da locução estiver na forma finita, não haverá oração reduzida: *Quanta gente havia de chorar*.
>
> ➠ Nem toda oração desprovida de transpositor é reduzida, uma vez que este transpositor pode estar oculto: *Espero que sejas feliz* ou *Espero sejas feliz*. Em ambos os exemplos a subordinada *que sejas feliz* ou *sejas feliz* é desenvolvida. O que caracteriza a reduzida é a forma infinita ou nominal do verbo (principal ou auxiliar): infinitivo, gerúndio e particípio.
>
> ➠ *Infinita* é uma forma verbal normalmente sem flexão, enquanto *infinitivo* é uma das chamadas formas nominais do verbo; assim, se fala em emprego do *infinitivo flexionado*, e não em emprego do *infinito*.

Desdobramento das orações reduzidas

As orações reduzidas são subordinadas e quase sempre se podem desdobrar em orações desenvolvidas.
    Vejamos o seguinte exemplo:
    Declarei estar ocupado = declarei que estava ocupado.

Este desdobramento é mero artifício de equivalência textual, que nos ajuda a classificar as orações reduzidas, uma vez que poderemos proceder da seguinte maneira:
Declarei estar ocupado = declarei que estava ocupado.
(*que estava ocupado*: subordinada substantiva objetiva direta.)
Logo:
(*estar ocupado*: subordinada substantiva objetiva direta reduzida de infinitivo ou reduzida infinitiva.)

Orações substantivas reduzidas

Normalmente as orações substantivas reduzidas têm o verbo, principal ou auxiliar, no infinitivo. Elas podem ser subjetivas, objetivas diretas, objetivas indiretas, completivas relativas, predicativas (do sujeito ou do objeto), apositivas.

Orações adjetivas reduzidas

As orações adjetivas reduzidas têm o verbo, principal ou auxiliar, no:

Infinitivo

Está marcada a festa *a realizar-se na próxima semana*.

Gerúndio

Indicando de um substantivo ou pronome
1) uma atividade passageira:
"(...) cujos brados selvagens de guerra começavam a soar ao longe como um trovão *ribombando no vale*." [AH]

2) uma atividade permanente, qualidade essencial, inerente aos seres, própria das coisas:
"Algumas comédias havia com este nome *contendo argumentos mais sólidos*." [SA]

Aceitar o gerúndio como construção vernácula não implica adotá-lo a todo momento, acumulando-o numa série de mau gosto.

Particípio

"Os anais ensanguentados da humanidade estão cheios de facínoras, *empuxados* (= que foram empuxados) *ao crime pela ingratidão injuriosa de mulheres muito amadas, e perversíssimas*." [CBr]

Orações adverbiais reduzidas

Têm o verbo, principal ou auxiliar, no:

Infinitivo

Deve-se empregar o verbo regido de preposição adequada. Para o desdobramento da reduzida em desenvolvida, basta substituir a preposição ou locução prepositiva por uma expressão do mesmo valor e pôr o verbo na forma finita. É de toda conveniência conhecermos as principais preposições que correspondem a "conjunções" subordinativas adverbiais:

"Porém, deixando o coração cativo,/ *Com fazer-te a meus rogos sempre humano*,/ Fugiste-me traidor..." [RD]
Com fazer-te = porque te fizeste sempre humano, portanto a oração destacada é subordinada adverbial causal, reduzida de infinitivo.

Podem ser reduzidas de infinitivo as causais, concessivas, condicionais, consecutivas, finais, locativas, de meio e instrumento e temporais.

Gerúndio

Pode equivaler a uma oração causal; uma oração consecutiva; uma oração concessiva; uma oração condicional; uma oração que denota modo, meio, instrumento; uma oração temporal.

Particípio

Pode equivaler a uma oração causal; uma oração condicional; uma oração temporal.

Quando fazem parte de uma locução verbal, infinitivo, gerúndio e particípio não constituem oração reduzida:
Tinham de chegar cedo ao trabalho.
Estão saindo todos os alunos.
As lições *foram aprendidas* sem esforço.

Capítulo 16

As frases: enunciados sem núcleo verbal

Oração e frase

A unidade sintática chamada **oração** constitui o centro da atenção da gramática por se tratar de uma unidade onde se relacionam sintaticamente seus termos constituintes e onde se manifestam as relações de ordem e regência, que partem do núcleo verbal, e das quais se ocupa a descrição gramatical.

Isto não impede a presença de enunciados destituídos desse núcleo verbal conhecidos pelo nome de *frases*:
Bom dia!

O tipo mais simples de frase é o constituído por *interjeição*: *Psiu!*, que pode aparecer combinada com outras unidades para constituir frases mais complexas: *Ai de mim!*

Outras classes de palavras e grupos nominais se podem transpor ao papel de interjeição, empregados em função apelativa, endereçada ao interlocutor, ou como manifestação da atitude do falante: *Depressa!*

Podem aparecer, também, unidades mais longas resultantes de respostas ou comentários a diálogos reais ou imaginários com o interlocutor:
"— Está bem, deixe-me ficar algum tempo mais, estou na pista de um mistério...
— *Que mistério?*" [MA]

Entre essas verdadeiras prorações estão as palavras *sim*, *não*, *talvez*, *tampouco* e assemelhadas (sozinhas ou combinadas), que de primitivos advérbios passam ao papel de frases:
"— Já deste a notícia?
— *Ainda não*." [LB]

Algumas vezes, um dos interlocutores ou o autor, num monólogo, faz uso de uma frase exclamativa complexa que vale por uma interjeição:

"Eugênia sentou-se a concertar uma das tranças. *Que dissimulação graciosa! Que arte infinita e delicada! Que tartufice profunda!*" [MA]

Diferente contexto linguístico ocorre com frases que entram na indicação de etiquetas, letreiros e rótulos situados em circunstâncias tais que, com ajuda de entornos, são suficientes para constituir informações precisas. Deste rol faz parte a sinalização verbal das indicações de trânsito, por exemplo (*Entrada*, *Saída*, *Retorno*, etc.).

PARTE 4

Concordância, regência e colocação

Capítulo 17
Concordância nominal

Capítulo 18
Concordância verbal

Capítulo 19
Regência

Capítulo 20
Colocação

Apêndice
Figuras de sintaxe. Vícios e anomalias de linguagem

Capítulo 17

Concordância nominal

Considerações gerais

Em português a *concordância* consiste em se adaptar a palavra determinante ao gênero, número e pessoa da palavra determinada.
A concordância pode ser nominal ou verbal.
Diz-se **concordância nominal** a que se verifica em gênero e número entre o adjetivo e o pronome (adjetivo), o artigo, o numeral ou o particípio (palavras determinantes) e o substantivo ou pronome (palavras determinadas) a que se referem.
Diz-se **concordância verbal** a que se verifica em número e pessoa entre o sujeito (e, às vezes, o *predicativo*) e o verbo da oração.
A concordância pode ser estabelecida de *palavra* para *palavra* ou de *palavra* para *sentido*. A concordância de *palavra* para *palavra* será *total* ou *parcial* (também chamada *atrativa*), conforme se leve em conta a totalidade ou a mais próxima das palavras determinadas numa série de coordenação.

Concordância nominal

A – Concordância de palavra para palavra

1. Há uma só palavra determinada
A palavra determinante irá para o gênero e número da palavra determinada:
   Eu estou *quite*. / Nós estamos *quites*.

2. Há mais de uma palavra determinada
   a) Se as palavras determinadas forem do mesmo gênero, a palavra determinante irá para o plural e para o gênero comum ou poderá concordar, principalmente se vier anteposta, em gênero e número com a mais próxima:
      A língua e (a) literatura *portuguesas* ou A língua e (a) literatura *portuguesa*.
   b) Se as palavras determinadas forem de gêneros diferentes, a palavra determinante irá para o plural masculino ou concordará em gênero e número com a mais próxima:
      "Vinha todo coberto de negro: *negros* o elmo, a couraça e o saio." [AH]
      "*Calada* a natureza, a terra e os homens." [GD]

3. Há uma só palavra determinada e mais de uma determinante
A palavra determinada irá para o plural ou ficará no singular, sendo, neste último caso, facultativa a repetição do artigo:
As séries quarta e quinta.
A quarta e quinta série (ou *séries*).

B – Concordância de palavra para sentido (referência)

A palavra determinante pode deixar de concordar em gênero e número com a *forma* da palavra determinada para levar em consideração, apenas, a referência a que esta alude: *o* (vinho) *champanha, o* (rio) *Amazonas.*
Entre os diversos casos desta concordância pelo sentido, aparecem os seguintes:
1) As expressões de tratamento do tipo de *V.Ex.ª, V.S.ª,* etc.: *V.Ex.ª é atencioso* (referindo-se a homem) e *V.Ex.ª é atenciosa* (referindo-se a mulher).
2) A expressão *a gente* aplicada a uma ou mais pessoas com inclusão da que fala: *A gente* perguntava a si *mesmo* (referindo-se a pessoa do sexo masculino) o que fazer. Está correto também o emprego da concordância com a forma gramatical da palavra determinada: "Com estes leitores assim previstos, o mais acertado e modesto é *a gente ser sincera.*" [CBr]
3) O termo determinado é um coletivo seguido de determinante em gênero ou número (ou ambos) diferentes: *Acocorada* em torno, *alegres,* a menina da *entusiasmada,* brincava.
4) A palavra determinada aparece no singular e mais adiante o determinante no plural em virtude de se subentender aquela no plural: "Mas não nos constou em que *ano* começou nem *quantos* esteve com ele." [LS]

C – Outros casos de concordância nominal

1. Um e outro, nem um nem outro, um ou outro
   a) Um e outro
   Determinado (substantivo) no singular e verbo no singular ou no plural:
   "Alceu Amoroso Lima (...) teve a boa ideia de caracterizar e diferençar o ensaio e a crônica, dizendo que um e outro *gênero* se *afirmam* pelo estilo."

   Modificada a expressão pelo adjetivo, este vai para o plural:
   "(...) e [Rubião] desceu outra vez, e o cão atrás, sem entender nem fugir, um e outro *alagados, confusos.*" [MA]

   b) Nem um nem outro / Um e/ou outro
   Verbo e substantivo no singular:
   Nem um nem outro *livro merece* ser lido.
   "Um e outro *soldado,* indisciplinadamente, *revidava,* disparando à toa, a arma para os ares." [EC]

Havendo adjetivo, este vai para o plural:
Nem um nem outro aluno *aplicados*.
Um e/ou outro aluno *aplicados*.

2. Mesmo, próprio, só
Concordam com a palavra determinada em gênero e número:
Ele *mesmo* disse a verdade.
Elas *próprias* foram ao local.
Nós não estamos *sós*.

3. Menos e somenos
Ficam invariáveis:
Mais amores e *menos* confiança. (e não *menas*)
"Há neles coisas boas e coisas más ou *somenos*." [MB]

4. Leso
É adjetivo, por isso concorda com seu determinado em gênero e número:
"Como se a substância não fosse já um crime de *leso-gosto* e *lesa-seriedade*, ainda por cima as pernas saíam sobre as botas." [CBr]

5. Anexo, apenso e incluso
Como adjetivos, concordam com a palavra determinada em gênero e número:
Correm *anexos* (inclusos, apensos) aos processos vários documentos.
Vai *anexa* (inclusa, apensa) a declaração solicitada.

Observação:

➥ Usa-se invariável *em anexo, em apenso*: Vai *em anexo* (*em apenso*) a declaração. Vão *em anexo* (*em apenso*) as declarações.

6. Dado e visto
Usados adjetivamente, concordam em gênero e número com o substantivo determinado:
Dadas (Vistas) as circunstâncias, foram-se embora.

7. Meio
Com o valor de 'metade', usado adjetivamente, concorda em gênero e número com o termo determinado, claro ou oculto:
Era *meio-dia e meia*. (Isto é: *e meia hora*.)

8. Pseudo e todo
Usados em palavras compostas ficam invariáveis:
Sua *pseudo-organização* não me iludia.
A fé *todo-poderosa* que nos guia é nossa salvação.

9. Tal e qual
Tal, como todo determinante, concorda em gênero e número com o determinado:
   Tais razões não me movem.

Tal qual, combinados, também procedem à mesma concordância:
   Ele não era *tal quais* seus primos.
   Os filhos são *tais qual* o pai.

Observações:

➡ Em lugar de *tal qual*, podem aparecer: *tal e qual, tal ou qual*.

➡ Não confundir *tal qual* flexionáveis com *tal qual, tal qual como* invariáveis com valor adverbial (= como):
   "Descerra uns sorrisos discretos, sem mostrar os dentes, *tal qual como* as inglesas de primeiro sangue." [CBr]

10. Possível
Com *o mais possível, o menos possível, o melhor possível, o pior possível, quanto possível*, etc., o adjetivo *possível* fica invariável, ainda que se afaste da palavra *mais*:
   Paisagens o mais *possível* belas.
   "(...) onde se andava na ponta dos pés para pisar no menor número de livros *possível* (...)." [JU].

Com o plural *os mais, os menos, os piores, os melhores*, o adjetivo *possível* vai ao plural:
   Paisagens as mais belas *possíveis*.

Fora destes casos, a concordância de *possível* se processa normalmente:
   De todos os pontos de vista *possíveis*.

11. A olhos vistos
É tradicional o emprego da expressão *a olhos vistos* no sentido de *claramente, visivelmente*, em referência a nomes femininos ou masculinos:
   "(...) padecia calada e definhava *a olhos vistos*." [MA]

12. É necessário, é bom, é preciso
Com as expressões do tipo *é necessário, é bom, é preciso*, significando 'é necessário ter', o adjetivo pode ficar invariável, qualquer que seja o gênero e o número do termo determinado, quando se deseja fazer uma referência de modo vago ou geral:
   É *necessário* paciência.
   É *necessária* muita paciência.
   "Eram *precisos* outros três homens." [AM]

13. Adjetivo composto
Nos adjetivos compostos de dois ou mais elementos referidos a nacionalidades, a concordância em gênero e número com o determinado só ocorrerá no último adjetivo do composto:
    Lideranças *luso-brasileiras.*

No caso de adjetivos compostos designativos de nomes de cores, surgem incertezas quando o nome de cor é constituído de dois adjetivos. Neste caso, a prática tem sido deixar o primeiro invariável na forma do masculino e fazer a concordância do segundo com o substantivo determinado: *bolsa amarelo-clara.*

Exceções: *Azul-marinho* e *azul-celeste,* como adjetivo, ficam invariáveis: *jaquetas azul-marinho.*

Ambos os elementos ficam invariáveis nos adjetivos compostos que designam cores quando o segundo elemento é um substantivo: *olhos verde-água.*

14. Alguma coisa boa ou alguma coisa de bom
Em *alguma coisa boa*, e semelhantes, o adjetivo concorda com o termo determinado: *alguma coisa extraordinária.*

Em *alguma coisa de bom*, e semelhantes, o adjetivo não concorda com *coisa*, sendo empregado no masculino: *algo de novo, nada de extraordinário, nada de trágico,* etc.

Obs.: Por atração, pode-se fazer a concordância do adjetivo com o termo determinado que funciona como sujeito da oração:
    A vida nada tem de *trágica.*

Capítulo 18

Concordância verbal

Concordância verbal

A – Concordância de palavra para palavra

1. Há sujeito simples

   a) Se o sujeito for simples e singular, o verbo irá para o singular, ainda que seja um coletivo:
   "Já no trem, o plano *estava* praticamente traçado." [JU]
   "*Diz* o povo em Itaparica (...)." [JU]

   b) Se o sujeito for simples e plural, o verbo irá para o plural:
   "As mãos de alguém *taparam* os olhos de Bia." [AMM]

2. Há sujeito composto

Se o sujeito for composto, o verbo irá, normalmente, para o plural, qualquer que seja a sua posição em relação ao verbo:
   "Na estação de Vassouras, *entraram* no trem Sofia e o marido, Cristiano de Almeida e Palha." [MA].

   Observações:

   ➥ Pode dar-se a concordância com o núcleo mais próximo, *se o sujeito vem depois do verbo*:
   "Foi neste ponto que *rompeu* o alarido, os choros e os chamados que ouvimos (...)." [SLN]

   ➥ Quando o núcleo é singular e seguido de dois ou mais adjuntos, pode ocorrer o verbo no plural, como se se tratasse na realidade de sujeito composto: "(...) ainda quando a *autoridade paterna e materna fossem delegadas*..." [AGa]
   A concordância do verbo no singular é a mais corrente na língua-padrão moderna.

➤ Pode ocorrer o verbo no singular ainda nos casos seguintes:
a) se a sucessão dos substantivos indicar gradação de um mesmo fato: "A censura, a autoridade, o poder público, inexorável, frio, grave, calculado, lá *estava*." [AH]
b) se se tratar de substantivos sinônimos ou assim considerados: "O ódio e a guerra que declaramos aos outros nos *gasta* e *consome* a nós mesmos." [MM]; "A infeliz, a desgraçada, a empesteada da moléstia *se recusara* a lhe dizer uma palavra de consolo (...)." [JU]
c) se o segundo substantivo exprimir o resultado ou a consequência do primeiro: "A doença e a morte de Filipe II (...) *foi* como a imagem (...)" [RS]
d) se os substantivos formam juntos uma noção única: O fluxo e refluxo das ondas nos *encanta*.

B – Concordância de palavra para sentido

Quando o sujeito simples é constituído de nome ou pronome no singular que se aplica a uma coleção ou grupo, o verbo irá ao singular:
O povo *trabalha*.   ou   A gente *vai*.

C – Outros casos de concordância verbal

I. Sujeito constituído por pronomes pessoais

Se o sujeito composto é constituído por diferentes pronomes pessoais em que entra *eu* ou *nós*, o verbo irá para a 1.ª pessoa do plural.

Se na série entra *tu* ou *vós* e nenhum pronome de 1.ª pessoa, o verbo irá normalmente para a 2.ª pessoa do plural.

Observação:

➤ Ou porque avulta como ideia principal o último sujeito, ou porque, na língua contemporânea, principalmente entre brasileiros, vai desaparecendo o tratamento *vós*, nestes casos, a norma consagrou o verbo na 3.ª pessoa do plural:
Tu e os teus são dignos da nossa maior consideração.

2. Sujeito ligado por série aditiva enfática

Se o sujeito composto tem os seus núcleos ligados por série aditiva enfática (*não só... mas, tanto... quanto, não só... como*, etc.), o verbo concorda com o mais próximo ou vai ao plural (o que é mais comum quando o verbo vem depois do sujeito):
"Tanto o lidador como o abade *haviam* seguido para o sítio que ele parecia buscar com toda a precaução." [AH]

3. Sujeito ligado por *com*

Se o sujeito no singular é seguido imediatamente de outro termo no singular ou no plural mediante a preposição *com*, ou locução equivalente, pode o verbo ficar no singular, ou ir ao plural *para realçar a participação simultânea na ação*:
O presidente, com toda sua comitiva, estava presente / estavam presentes.

4. Sujeito ligado por *nem... nem*

O sujeito composto ligado pela série aditiva negativa *nem... nem* leva o verbo normalmente ao plural e, às vezes, ao singular:
"Mas *nem* a tia *nem* a irmã *haviam almoçado*, à espera dele (...)". [MA]

Constituído o sujeito pela série *nem um nem outro*, fica o verbo no singular:
"Alguns instantes decorreram em que *nem um nem outro falou*; ambos pareciam (...). [MA]

5. Sujeito ligado por *ou*

O verbo concordará com o sujeito mais próximo se a conjunção indicar:
a) *exclusão*:
"(...) a quem a doença *ou* a idade *impossibilitou* de ganharem o sustento..." [AH]

b) *retificação de número gramatical* ou *dúvida*:
Um *ou* dois livros *foram retirados* da estante.

c) *identidade* ou *equivalência*:
O professor *ou* o nosso segundo pai *merece* o respeito da pátria.

Se a ideia expressa pelo predicado puder referir-se a toda a série do sujeito composto, o verbo irá para o plural mais frequentemente, porém pode ocorrer o singular:

"A ignorância *ou* errada compreensão da lei não *eximem* de pena (...)." (Código Civil)
"Mas aí, como se o destino *ou* o acaso, *ou* o que quer que fosse, *se lembrasse* de dar algum pasto aos meus arroubos possessórios (...)." [MA].

6. Sujeito representado por expressão como *a maioria de, a maior parte de* + nome no plural

Se o sujeito é representado por expressões do tipo de *a maioria de, a maior parte de, grande parte (número) de, parte de* e um nome no plural ou nome de grupo no plural, o verbo irá para o singular, ou plural, como se a determinação no plural fosse o sujeito.
Entram neste caso expressões como *número, preço, custo* e outros seguidos de *de* + plural:
Número cada vez maior *de impostos prejudicam* a economia do homem comum.

Diferente destes é o caso em que o núcleo do sujeito não se refere à ideia de número. Nestas circunstâncias deve prevalecer a concordância do verbo no singular:
A circunstância desses problemas *ocasiona* (e não: *ocasionam*) o desleixo das autoridades.

Observação:

➡ Se se tratar de coletivo geral (e não partitivo como nos exemplos até aqui), o verbo ficará no singular:
Uma equipe de médicos *entrou* em greve.

7. Sujeito representado por *cada um de, nem um de, nenhum de* + plural

Neste caso, o verbo fica sempre no singular:
Cada um dos concorrentes *deve preencher* a ficha de inscrição. (e não *devem preencher*!)

8. Concordância do verbo ser

O normal é que sujeito e verbo *ser* concordem em número:
José *era* um aluno aplicado.
Os dias de inverno *são* menores que os de verão.

Todavia, em alguns casos, o verbo *ser* se acomoda à flexão do predicativo:
a) quando um dos pronomes *isto, isso, aquilo, tudo, ninguém, nenhum* ou expressão de valor coletivo do tipo de *o resto, o mais* é sujeito do verbo *ser*:
"*Tudo eram* alegrias e cânticos." [RS]

b) quando o sujeito é constituído pelos pronomes interrogativos *quem, que, o que*:
Quem eram os convidados?

c) quando o verbo *ser* está empregado na acepção de 'ser constituído por':
A provisão *eram alguns quilos de arroz*.

d) quando o verbo *ser* é empregado impessoalmente, isto é, sem sujeito, nas designações de horas, datas, distâncias, imediatamente após o verbo:
São dez horas? Ainda não *o são*.

Observação:

▶ Precedido o predicativo plural de expressão avaliativa do tipo *perto de, cerca de* é ainda possível vir o verbo *ser* no singular:
"*Era perto de duas horas* quando saiu da janela." [MA]

e) quando o verbo *ser* aparece nas expressões *é muito, é pouco, é bom, é demais, é mais de, é tanto* e o sujeito é representado por termo no plural que denota preço, medida ou quantidade:
Dez reais *é pouco*.

Se o sujeito está representado por pronome pessoal, o verbo *ser* concorda com o sujeito, qualquer que seja o número do termo que funciona como predicativo:
Ela era as preocupações do pai.

Se o sujeito está representado por nome próprio de pessoa ou lugar, o verbo *ser*, na maioria dos exemplos, concorda com o predicativo:
"Santinha *eram* dois olhos míopes, quatro incisivos claros à flor da boca." [MB]

Na expressão que introduz narrações, do tipo de *era uma princesa*, o verbo *ser* é intransitivo, com o significado de *existir*, funcionando como sujeito o substantivo seguinte, com o qual concorda:
"*Eram quatro irmãs tatibitates* e a mãe delas tinha muito desgosto com esse defeito." [CC]

Com a expressão *era uma vez uma princesa*, continua o verbo *ser* como intransitivo e o substantivo seguinte como sujeito; todavia, como diz A.G. Kury, "a atração fortíssima que exerce *uma* da locução *uma vez*" leva a que o verbo fique no singular ainda quando o sujeito seja um plural:
"*Era uma vez* três moças muito bonitas e trabalhadeiras." [CC]

A moderna expressão *é que*, de valor reforçativo de qualquer termo oracional, aparece em geral com o verbo *ser* invariável em número:
Nós *é que* somos brasileiros.

Afastado do *que* e junto do termo no plural, aparece às vezes o verbo *ser* no plural, concordância que a língua-padrão rejeita:
São de homens assim *que* depende o futuro da pátria. / De homens assim *é que* depende o futuro da pátria.

9. Concordância com *mais de um*

O verbo é em geral empregado no singular, sendo raro o aparecimento de verbo no plural:
"(...) *mais de um* poeta *tem* derramado..." [AH]

Se se tratar de ação recíproca, ou se a expressão vier repetida ou, ainda, se o sujeito for coletivo acompanhado de complemento no plural, o verbo irá para o plural:
Mais de um *se xingaram*.
"Mais de uma gravata, mais de uma bengala, mais de uma luneta *levaram-lhe* as cores, os gestos e os vidros." [MA]
Mais de um milhão de reais *saíram* dos cofres públicos.

10. Concordância com *quais de vós*

Se o sujeito for constituído de um pronome plural de sentido partitivo (*quais, quantos, algumas, nenhuns, muitos, poucos*, etc.), o verbo concorda com a expressão partitiva introduzida por *de* ou *dentre*:
"*Quais de vós sois*, como eu, desterrados no meio do gênero humano?" [AH]

Pode ainda ocorrer o verbo na 3.ª pessoa do plural:
"(...) *quantos dentre vós estudam* conscienciosamente o passado?" [SS]

Se a expressão partitiva estiver no singular, impõe-se o verbo no singular:
Qual *de nós* saiu *ileso*?

11. Concordância com os pronomes relativos

　　a) Se o sujeito da oração é o pronome relativo *que*, o verbo concorda com o antecedente, desde que este não funcione como predicativo de outra oração:
　　　"Ó tu, *que tens* de humano o gesto e o peito." [LC]

　　b) Se o antecedente do sujeito *que* for um pronome demonstrativo, o verbo da oração adjetiva vai para a 3.ª pessoa:
　　　Aquele que trabalha acredita num futuro melhor.

　　c) Se o antecedente do pronome relativo funciona como predicativo, o verbo da oração adjetiva pode concordar com o sujeito de sua principal ou ir para a 3.ª pessoa:
　　　"Sou eu o primeiro que não *sei* classificar este livro." [AH]
　　　Fui o primeiro que *conseguiu* sair.

　　d) É de rigor a concordância do verbo com o sujeito de *ser* nas expressões do tipo *sou eu que, és tu que, foste tu que*, etc.
　　　"Foste *tu que* me buscaste." [AH]

　　e) Se ocorrer o pronome *quem*, o verbo da oração subordinada vai para a 3.ª pessoa do singular, qualquer que seja o antecedente do relativo ou indefinido, ou concorda com o antecedente:
　　　És tu quem me dá alegria de viver.

　　f) Em linguagem do tipo *um dos... que*, o verbo da oração adjetiva pode ficar no singular (concordando com o seletivo *um*) ou no plural (concordando com o termo sujeito no plural):
　　　"Demais, *um dos que* hoje *deviam* estar tristes, eras tu." [CL]

12. Concordância com os verbos impessoais

Nas orações sem sujeito, o verbo assume a forma de 3.ª pessoa do singular:
　　　Há vários nomes aqui./ *Deve haver* cinco premiados./ Não o vejo *há* três meses./ Não o vejo *faz* três meses./ Ontem *fez* trinta graus./ Amanhã *fará* trinta graus./ *Trata-se* de casos absurdos./ Já *passa* das dez horas./ *Basta* de mentiras, *chega* de promessas!

13. Concordância com *dar* (e sinônimos) aplicado a horas

Se aparece o sujeito *relógio*, com ele concorda o verbo da oração:
　　　O relógio deu duas horas.

Não havendo o sujeito *relógio*, o verbo concorda com o sujeito representado pela expressão numérica:
Deram três horas.

14. Concordância com o verbo na reflexiva de sentido passivo

A língua-padrão pede que o verbo concorde com o termo que a gramática aponta como sujeito:
Alugam-se casas.

15. Concordância na locução verbal

Havendo locução verbal, cabe ao verbo auxiliar a flexão, concordando com a indicação do sujeito:
"Bem sei que me *podem vir* (sujeito indeterminado) com duas objeções que (sujeito explícito) geralmente se *costumam fazer*." [AC]

16. Concordância com títulos no plural

Em geral se usa o verbo no plural, principalmente com artigo no plural:
"Por isso, *as Cartas Persas anunciam* o Espírito das Leis." [MBa]

Com o verbo *ser* e predicativo no singular pode ocorrer o singular:
"(...) *as Cartas Persas é* um livro genial..." [MBa]

Observação:

▶ Em referência a topônimos como os Estados Unidos, os Andes, as Antilhas, as Bahamas, etc., em que a presença do artigo é comum, é frequente verbo e determinantes no plural:
"— Mas se os Estados Unidos *achassem* que não convinha ceder?" [AMM].

Com o verbo *ser* há possibilidade normal da concordância com o predicativo:
Os Estados Unidos é (ou: *são*) um país de história muito nova.
Os Andes *são* uma cordilheira.

17. Concordância no aposto

Quando a um sujeito composto se seguem, como apostos, expressões de valor distributivo como *cada um, cada qual*, o verbo, posposto a tais expressões, concorda com elas:
"Pai e filho *cada um seguia* por seu caminho." [ED]

Se o verbo vem anteposto a essas expressões, dá-se normalmente a concordância no plural com o sujeito composto ou no plural:
Eles *saíram cada um* com sua bicicleta.

Se o sujeito aparece ampliado por um aposto, permanece a obrigatoriedade da concordância do verbo com o sujeito:
Suas observações, a maioria talvez, *são* bem interessantes.

18. Concordância com *haja vista*

A construção mais natural e frequente da expressão *haja vista*, com o valor de *veja*, é ter invariável o verbo, qualquer que seja o número do substantivo seguinte:
"*Haja vista* os exemplos disso em Castilho." [RB]

Pode, entretanto, ocorrer o plural, considerando-se o substantivo no plural como sujeito:
"*Hajam vista* os seguintes exemplos." [CF]

Ocorre, ainda, a construção com o verbo no singular e substantivo precedido das preposições *a* ou *de*:
"*Haja vista* às tangas." [CBr]

Não é correta a expressão *haja visto* (p.ex.: *Haja visto o ocorrido*).

19. Concordância nas expressões de porcentagem

A tendência é fazer concordar o verbo com o termo preposicionado que especifica a referência numérica:
Trinta por cento *do Brasil assistiu* à transmissão dos jogos da Copa.
Trinta por cento *dos brasileiros assistiram* aos jogos da Copa.

Se for *um* o numeral que entra na expressão de porcentagem, o verbo irá para o singular:
Um por cento dos erros *foi devido* a distrações.

Se o termo preposicionado não estiver explícito na frase, a concordância se faz com o número existente:
Cinquenta por cento *aprovaram* a mudança. (Diferentemente de: Cinquenta por cento do público *aprovou* a mudança.)

Se a porcentagem for particularizada, o verbo concordará com ela:
Os tais 10% do empréstimo *estarão* (e não *estará*) embutidos no valor total.

Se o verbo vier antes da expressão de porcentagem, ou se o termo preposicionado estiver deslocado, a concordância se fará com o número existente:
>*Ficou excluído 1%* dos candidatos.
>*Foram admitidos* este mês *10%* da lista.
>Da turma, *10% faltaram* às aulas.

20. Concordância com *ou seja, como seja*

A norma exemplar recomenda atender à concordância do verbo com o seu sujeito:
>"Para que uma mina fosse boa, era preciso que desse pelo menos duas oitavas de ouro de 'cada bateada' — *ou sejam* 35.000 em moeda de hoje." [CG]

Mas facilmente as expressões *ou seja, como seja* podem ser gramaticalizadas como unidade de significação explicativa e, assim, tornarem-se invariáveis:
>Todos os três irmãos já chegaram, *como seja*, Everaldo, João e Janete.

21. Concordância com *a não ser*

É possível fazer a concordância normal com o sujeito do verbo:
>"Nesta Lisboa onde viveu e morreu, *a não serem* os raros apreciadores do seu talento, poucos o conheciam..." [JJN]

Também pode ser considerada uma locução invariável com o sentido de *salvo, exceto, senão*:
>"Não saiu nada, *a não ser* uns garranchos que nem eu mesmo entendi." [JU]

22. Concordância nas expressões *perto de, cerca de* e equivalentes

O verbo concorda com seu sujeito:
>Já *votaram* cerca de mil eleitores.

Se o sujeito está no singular, o verbo vai para o singular:
>*Apodreceu* cerca de uma tonelada de carne.

23. Concordância com a expressão *que é de*

Ocorrendo a expressão *que é de*, com o valor de *que é feito de*, o verbo aparecerá sempre no singular:
>*Que é dos* papéis que estavam aqui?

24. Concordância com a expressão *que dirá*

Empregando esta expressão com o valor de *quanto mais / muito menos*, o comum é fazê-la invariável:
> Se você errou, *que dirá* nós./ Se você não é feliz, *que dirá* eles.

É preciso não confundir a locução invariável acima com a forma flexionada em sentido comum, podendo vir acompanhada de seu(s) complemento(s):
> Se nos prenderem, *que direi* eu às autoridades, ou melhor, *que diremos* nós às autoridades.

25. Concordância em *Vivam os campeões!*

Unidades como *viva!*, *morra!* e similares podem guardar seu significado lexical e aparecer como verbos, ou, esvaziado esse valor, serem tratadas como formas interjetivas.

No primeiro caso, teremos a concordância com seu sujeito:
> "*Vivam* os meus dois jovens, disse o conselheiro, *vivam* os meus dois jovens, que não esqueceram o amigo velho." [MA]

Todavia, a língua moderna revela acentuada tendência para usar, nestes casos, tais unidades no singular, dada a força interjetiva da expressão: *Viva os campeões!* A língua-padrão prefere que seja observada a regra geral de concordância com o sujeito.

Salve!, como pura interjeição de aplauso, não se flexiona, portanto:
> *Salve* os campeões!

26. Concordância em *Já vão, Já vai*

Na indicação de tempo com o verbo *ir* em orações cujo sujeito é a expressão temporal, o verbo concorda com esta indicação:
> *Já vão* cinco anos desta nossa amizade.

Se a oração tem a expressão temporal precedida de preposição (*em, para, por*), o verbo ficará sempre no singular:
> *Já lá vai em* vinte anos esta nossa amizade.
> *Já vai para* vinte anos esta nossa amizade.

Capítulo 19

Regência

Regência

É o processo sintático em que uma palavra determinante subordina uma palavra determinada. A marca de subordinação é expressa, nas construções analíticas, pela preposição.

1. A preposição comum a termos coordenados

A preposição que serve a dois termos coordenados pode vir repetida ou calada junto ao segundo (e aos demais termos), conforme haja ou não desejo de enfatizar o valor semântico da preposição:

As alegrias *de* infância e *de* juventude. / As alegrias *de* infância e juventude.

A omissão da preposição parece ser mais natural quando não se combina com artigo.

2. Está na hora da onça beber água

A possibilidade de se pôr o sujeito de infinitivo antes ou depois desta forma verbal nos permite dizer:

Está na hora de beber a onça água. (posição rara)
Está na hora de a onça beber água. (posição mais frequente)

Este último meio de expressão aproxima dois vocábulos (a preposição *de* e o artigo *a*) que a tradição do idioma contrai em *da*, surgindo assim um terceiro modo de dizer:

Está na hora da onça beber água,

construção normal que não tem repugnado os ouvidos dos que melhor falam e escrevem a língua portuguesa.

3. Eu gosto de tudo, exceto isso *ou* exceto disso

Pode-se tanto dizer corretamente *Eu gosto de tudo, exceto isso* ou *Eu gosto de tudo, exceto disso*.

4. Migrações de preposição

Com muita frequência vê-se a preposição que deveria aparecer com o relativo migrar para junto do antecedente deste pronome:
Lisboa e Porto, das quais cidades venho agora   por   *Lisboa e Porto, cidades das quais venho agora.* [LV]

5. Repetição de prefixo e preposição

Sem atentar para a tradição do idioma e de suas raízes latinas, alguns autores condenam a concorrência de prefixo com preposição em usos como: *concorrer com, deduzir de, depender de, incluir em, aderir a, concordar com, coincidir com,* etc. Daí repudiarem, por exemplo, a construção *consentâneo com,* recomendando que se diga *duas coisas consentâneas* em vez de *uma coisa consentânea com outra.* Também substituem *uma coisa coincide com outra* por *uma coisa incide na outra.*

6. Complementos de termos de regências diferentes

O rigor gramatical exige que não se dê complemento comum a termos de regência de natureza diferente. Assim não podemos dizer, de acordo com este preceito:
Entrei e saí de casa.
em lugar de
Entrei em casa e dela saí (ou equivalente),
porque *entrar* pede a preposição *em* e *sair* a preposição *de.*

Salvo as situações de ênfase e de encarecimento semântico de cada preposição, a língua dá preferência às construções abreviadas que a gramática insiste em condenar, sem, contudo, obter grandes vitórias.

7. Termos preposicionados e pronomes átonos

Tanto se pode dizer *não fujas **de mim*** como *não **me** fujas.*

8. Pronomes relativos preposicionados ou não

O pronome relativo exerce função sintática na oração a que pertence:
   a) *Sujeito*: O livro *que* está em cima da mesa é meu.
   b) *Objeto direto*: O livro *que* eu li encerra uma bonita história.
   c) *Predicativo*: Dividimos o pão como bons amigos *que* éramos.
   d) *Complemento relativo*: O livro *de que* precisamos esgotou-se.
   e) *Objeto indireto*: Este é o aluno *a que* dei o livro.

f) *Adjunto adverbial*: O livro *por que* aprendeste a ler é antigo. / A casa *em que* moro é espaçosa.
g) *Agente da passiva*: Este é o autor *por que* a novela foi escrita.

As três primeiras funções sintáticas dispensam preposição, enquanto as quatro últimas a exigem.

9. Verbos a cuja regência se há de atender na língua-padrão[4]

1) **Abraçar**: pede objeto direto.

2) **Acudir**: pede complemento preposicionado ou *lhe* quando significa 'socorrer', 'ajudar', 'lembrar', 'responder'.

3) **Adorar**: pede objeto direto.

4) **Agradar**: pede objeto direto quando significa 'acariciar', 'fazer carinhos'.
   No sentido de 'ser agradável', exige objeto indireto com a preposição *a*.

5) **Ajudar**: pede objeto direto ou indireto.

6) **Aspirar**: pede objeto direto quando significa 'sorver', 'chupar', 'atrair o ar aos pulmões'.
   No sentido de 'pretender com ardor', 'desejar', pede complemento preposicionado.

7) **Assistir**: pede complemento preposicionado iniciado pela preposição *a* quando significa 'estar presente a', 'presenciar'.
   No sentido de 'ajudar', 'prestar socorro ou assistência', 'servir', 'acompanhar', pede *indiferentemente* objeto direto ou complemento preposicionado.
   No sentido de 'morar', 'residir' — emprego que é clássico e popular — constrói-se com a preposição *em*.
   No sentido de 'ser da competência ou atribuição de alguém' (*assistir o direito*), pede complemento preposicionado de pessoa: Não *lhe assiste* o direito de reclamar.

8) **Atender**: pede objeto direto ou complemento preposicionado.

---

[4] Esta lista não substitui a consulta aos livros vários e estudos sobre regência verbal e nominal, bem como à prática dos escritores modernos compromissados com a língua exemplar.

9) *Atingir*: não se constrói com a preposição *a*.
A quantia *atingiu cinco mil reais*. (E não: *a cinco mil reais*.)

10) *Chamar*: no sentido de 'solicitar a presença de alguém', pede objeto direto.
No sentido de 'dar nome', 'apelidar', pede objeto direto ou complemento preposicionado e predicativo do objeto, com ou sem preposição.
No sentido de 'invocar pedindo auxílio ou proteção', rege objeto direto com a preposição *por* como posvérbio: Chamava *por todos os santos*.

11) *Chegar*: pede a preposição *a* junto à expressão locativa.

Observação:

➥ Em *cheguei na hora exata*, a preposição *em* está usada corretamente porque indica *tempo*, e não *lugar*.

12) *Conhecer*: pede objeto direto.

13) *Convidar*: pede objeto direto.

14) *Custar*: no sentido de 'ser difícil', 'ser custoso', tem por sujeito aquilo que é difícil: Custam-me *estas respostas*.

15) *Ensinar*: Constrói-se com objeto indireto de pessoa e direto da coisa ensinada:
Quero ensinar-*lhe esse caminho*.

16) *Esperar*: pede objeto direto puro ou precedido da preposição *por*, como posvérbio (marcando interesse): Todos esperavam *por Antônio*.

17) *Esquecer*: pede objeto direto da coisa esquecida.
Esquecer-se, pronominal, pede complemento preposicionado encabeçado pela preposição *de*.

18) *Impedir*: constrói-se com objeto direto de pessoa e é regida da preposição *de* a coisa impedida.
Inversamente, pode construir-se com objeto indireto de pessoa e direto da coisa impedida.

19) *Implicar*: no sentido de 'produzir como consequência', 'acarretar', pede objeto direto.

20) **Informar**: pede tanto objeto direto da pessoa informada e preposicionado de coisa (com *de* ou *sobre*) quanto, inversamente, objeto indireto de pessoa e direto da coisa informada.

21) **Ir**: pede a preposição *a* ou *para* junto à expressão de lugar.

22) **Lembrar**: pede objeto direto na acepção de 'recordar'.
    No sentido de 'trazer algo à lembrança de alguém', constrói-se com objeto direto da coisa lembrada e indireto da pessoa.
    Na acepção de 'algo que vem à memória', tem como sujeito a coisa que vem à memória e objeto indireto de pessoa: neste sentido é mais comum o emprego do verbo como pronominal: O filho pouco *se lembra das feições do pai*.

23) **Morar**: pede a preposição *em* junto à expressão de lugar.
É ainda esta preposição que se emprega com *residir*, *situar* e derivados.

24) **Obedecer**: pede complemento preposicionado.

25) **Obstar**: pede complemento preposicionado.

26) **Pagar**: pede objeto direto do que se paga e indireto de pessoa a quem se paga.

27) **Perdoar**: pede objeto direto de coisa perdoada e indireto de pessoa a quem se perdoa. No português atual vem sendo empregado objeto direto de pessoa.

28) **Pesar**: Na expressão *em que pese a* no sentido de 'ainda que (algo) seja pesaroso, custoso ou incômodo (para alguém)', usa-se o verbo no singular seguido de preposição.
    O mesmo ocorre com o sentido de 'apesar de; não obstante': *Em que pese aos seus erros*, vou perdoar-lhe.
    Diferente desta construção é o emprego da locução conjuntiva concessiva *em que* (= ainda que), seguida do verbo *pesar* no seu sentido próprio. Neste caso não temos a locução *em que pese a*, e o verbo *pesar* concorda com seu sujeito: *Em que pesem os novos argumentos*, mantive a decisão.

29) **Preferir**: pede a preposição *a* junto ao seu objeto indireto.
Os gramáticos pedem ainda que não se construa este verbo com os advérbios: *mais* e *antes*: *prefiro mais, antes prefiro*.

30) **Presidir**: pede complemento sem preposição ou indireto com a preposição *a*.

31) ***Proceder***: no sentido de 'iniciar', 'executar alguma coisa', pede complemento preposicionado com a preposição *a*.

32) ***Querer***: no sentido de 'desejar', pede objeto direto.
    Significando 'querer bem', 'gostar', pede objeto indireto de pessoa.

33) ***Requerer***: nos seus diversos sentidos, pede objeto direto da coisa requerida e objeto indireto de pessoa a quem se requer. (Em lugar da preposição *a* pode aparecer a preposição *de*, neste caso é sinônimo de 'reclamar', 'exigir'.)

34) ***Responder***: pede, na língua-padrão, objeto indireto de pessoa ou coisa a que se responde e direto do que se responde: Ela respondeu *aos seguidores*; "— Viu-a, e não se lembrou de nada, observou Palha, sem responder à pergunta." [MA]; "Agora mesmo, custava-me responder *alguma coisa*, mas enfim contei-lhe o motivo da minha ausência..." [MA].

Observação:

➠ A construção *responder a pergunta, o* e-mail (com objeto direto) é corrente no português, especialmente entre brasileiros, apesar de condenada por alguns gramáticos.

Admite ser construído na voz passiva: "... um violento panfleto contra o Brasil que *foi* vitoriosamente *respondido por* De Angelis." [EP]

35) ***Satisfazer***: pede objeto direto ou complemento preposicionado:
    Satisfaço *o seu pedido*.
    Satisfaço *ao seu pedido*.

36) ***Servir***: no sentido de 'estar ao serviço de alguém', 'pôr sobre a mesa uma refeição', pede objeto direto.
    No sentido de 'prestar serviço', pede complemento com a preposição *a*.
    No sentido de 'oferecer alguma coisa a alguém', se constrói com objeto direto de coisa oferecida e indireto de pessoa.
    No sentido de 'ser de utilidade', pede objeto indireto iniciado por *a* ou *para* ou representado por pronome (átono ou tônico).

37) ***Socorrer***: no sentido de 'prestar socorro', pede objeto direto de pessoa.
    Pronominalmente, com o sentido de 'valer-se de', pede complemento iniciado pelas preposições *a* ou *de*.

38) **Suceder**: no sentido de 'substituir', 'ser o sucessor de', pede complemento preposicionado da pessoa substituída.
   Também ocorre, com menos frequência, acompanhado de objeto direto de pessoa: O filho sucedeu *o pai*.
   No sentido de 'acontecer algo a alguém ou com alguém', teremos sujeito como a coisa acontecida e complemento de pessoa precedida de *a* ou *com*: Sucederam *horrores a mim* (ou *comigo*).

39) **Ver**: pede objeto direto.

40) **Visar**: no sentido de 'mirar', 'dar o visto em alguma coisa', pede objeto direto.
   No sentido de 'pretender', 'aspirar', 'propor-se', pede de preferência complemento preposicionado iniciado pela preposição *a*.

41) **Visitar**: pede objeto direto.

Capítulo 20

Colocação

Colocação

Sintaxe de colocação ou de ordem — é aquela que trata da maneira de dispor os termos dentro da oração e as orações dentro do período.

A *colocação*, dentro de um idioma, obedece a tendências variadas, quer de ordem estritamente gramatical, quer de ordem rítmica, psicológica e estilística, que se coordenam e completam. O maior responsável pela ordem favorita numa língua ou grupo de línguas parece ser a entonação oracional.

A ordem considerada *direta*, *usual* ou *habitual* consiste em enunciar, no rosto da oração, o sujeito, depois o verbo e em seguida os seus complementos.

A ordem que saia do esquema *svc* (*sujeito — verbo — complemento*) se diz *inversa* ou *ocasional*.

Chama-se *anástrofe* a ordem inversa da colocação do termo subordinado pre-posicionado antes do termo subordinante: *De teus olhos a cor vejo eu agora.* (por: *A cor de teus olhos.*)

Quando a colocação chega a prejudicar a clareza da mensagem, pela disposição violenta dos termos, diz-se que há um *hipérbato*: "*a grita se levanta ao céu da gente* por *a grita da gente se levanta ao céu.*" [MC]

Quando a deslocação cria a ambiguidade ou mais de uma interpretação do texto, alguns autores dão à forma o nome *sínquise*.

Quase sempre essa deslocação violenta dos termos oracionais exige, para o perfeito entendimento da mensagem, nosso conhecimento sobre as coisas e saber de ordem cultural: *Abel matou Caim.*

Pronomes pessoais átonos e o demonstrativo O

A colocação dos pronomes pessoais átonos e do demonstrativo *o* é questão de fonética sintática.

O pronome átono pode assumir três posições em relação ao vocábulo tônico, do grupo de força a que pertence: *ênclise*, *próclise* e *mesóclise* (ou *tmese*).

Ênclise é a posposição do pronome átono (vocábulo átono) ao vocábulo tônico a que se liga: Deu-*me* a notícia.

Próclise é a anteposição ao vocábulo tônico: Não *me* deu a notícia.

Mesóclise ou *tmese* é a interposição ao vocábulo tônico: Dar-*me*-á a notícia.

Critérios para a colocação dos pronomes pessoais átonos e do demonstrativo O

1. Em relação a um só verbo

1.º) Não se inicia *período* por pronome átono: "Deu-*me* as costas e voltou ao camarote." [MA]

2.º) Não se pospõe, em geral, pronome átono a verbo flexionado em oração subordinada: "Confesso que tudo aquilo *me* pareceu obscuro." [MA]

3.º) Não se pospõe pronome átono a verbo modificado diretamente por advérbio (isto é, sem pausa entre os dois, indicada ou não por vírgula) ou precedido de palavra de sentido negativo, bem como de pronome ou quantitativo indefinidos, enunciados sem pausa (*alguém, outrem, qualquer, muito, pouco, todo, tudo, quanto*, etc.):
 Sempre *me* recebiam bem. Ninguém *lhe* disse a verdade.
 Alguém *me* ama. Todos *o* querem como amigo.

Se houver pausa, o pronome pode vir antes ou depois do verbo:
 "O poeta muitas vezes se delicia em criar poesia, não tirando-a de si (...)" [MM]

4.º) Não se pospõe pronome átono a verbo no futuro do presente e futuro do pretérito (condicional). Se não forem contrariados os princípios anteriores, ou se coloca o pronome átono proclítico ou mesoclítico ao verbo:
 "A leitora, que ainda se *lembrará* das palavras, dado que me tenha lido com atenção (...)." [MA] (proclítico)
 "Teodomiro *recordar-se-á* ainda de qual foi o desfecho do amor de Eurico..." [AH]. (mesoclítico)

5.º) Não se pospõe ou intercala pronome átono a verbo flexionado em oração iniciada por palavra interrogativa ou exclamativa:
 "Quantos *lhe* dá?" [MA] / Como *te* perseguem!

6.º) Não se antepõe pronome átono a verbo no gerúndio inicial de oração reduzida: Encontrei-o na condução, *cumprimentando-o* cordialmente.

2. Em relação a uma locução verbal

Temos de considerar dois casos:

a) Auxiliar + $\begin{cases} \text{infinitivo: quero falar} \\ \text{ou} \\ \text{gerúndio: estou falando} \end{cases}$

Se os princípios já expostos não forem contrariados, o pronome átono poderá aparecer:
1) Proclítico ao auxiliar: Eu *lhe quero* falar. / Eu *lhe estou* dizendo.
2) Enclítico ao auxiliar (ligado ou não por hífen): Eu *quero-lhe* falar. / Eu *estou-lhe* dizendo.
Eu quero *lhe* falar. / Eu estou *lhe* dizendo.

A segunda maneira de dizer, isto é, deixar o pronome não hifenizado, é a mais comum entre brasileiros.

Observação:

➥ Não se usa a ênclise ao auxiliar da construção *haver de* + infinitivo. Neste caso se dirá *Havemos de ajudá-lo* ou *Havemos de o ajudar*.

3) Enclítico ao verbo principal (ligado por hífen).
Eu quero *falar-lhe*. / Eu estou *dizendo-lhe*.

b) Auxiliar + particípio: tenho falado
Não contrariando os princípios iniciais, o pronome átono pode vir:
1) Proclítico ao auxiliar: Eu *lhe tenho* falado.
2) Enclítico ao auxiliar (ligado ou não por hífen): Eu *tenho-lhe* falado.
Eu *tenho lhe* falado.

Jamais se pospõe pronome átono a particípio: Eu tenho *falado-lhe*. Entre brasileiros é mais frequente a próclise ao verbo principal em todos os exemplos dados: Eu tenho *lhe falado*.
Depois do particípio usamos a forma tônica do pronome oblíquo, precedida de preposição: Eu tenho *falado a ele*.

Posições fixas

A tradição fixou a próclise ainda nos seguintes casos:
1) Com o gerúndio precedido da preposição *em*: *Em me vendo*, gritou zangado.
2) Nas orações exclamativas e optativas, com o verbo no subjuntivo e sujeito anteposto ao verbo: Deus *te* ajude!

Apêndice

Figuras de sintaxe. Vícios e anomalias de linguagem

I – Figuras de sintaxe ou de construção

Fenômenos de sintaxe mais importantes:

1. Elipse

Omissão de um termo facilmente subentendido por faltar onde normalmente aparece, ou por ter sido anteriormente enunciado ou sugerido, ou ainda por ser depreendido pela situação, ou contexto:
São barulhentos, mas eu admiro *meus alunos*.
Preciso (*de*) que venhas aqui.

2. Pleonasmo

Repetição de um termo já expresso ou de uma ideia já sugerida, para fins de clareza ou ênfase:
Vi-*o a ele*. (pleonasmo do objeto direto)

O grande juiz entre os pleonasmos de valor expressivo e os de valor negativo (por isso considerados erro de gramática) é o uso, e não a lógica. Se não dizemos, em geral, fora de situação especial de ênfase: *Subir para cima* ou *Descer para baixo*, não nos repugnam construções como *O leite está saindo por fora* ou *Palavra de rei não volta atrás*.

3. Anacoluto

Quebra da estruturação gramatical da oração:
Os três reis magos, conta a lenda que um *deles* era negro.

O anacoluto, fora de certas situações especiais de grande efeito expressivo, é evitado no estilo formal.

4. Antecipação ou prolepse

Colocação de uma expressão fora do lugar que gramaticalmente lhe compete:
    O tempo parece que vai piorar.
           por
    Parece que o tempo vai piorar.

5. Braquilogia

Emprego de uma expressão curta equivalente a outra mais ampla ou de estruturação mais complexa:
    Estudou como se fosse passar.
           por
    Estudou como estudaria se fosse passar.

Ainda há braquilogia quando se coordenam dois verbos de complementos diferentes e se simplifica a expressão dando-se a ambos o regime do verbo mais próximo: *Eu vi e gostei do filme* (por *Eu vi o filme e gostei dele*).

6. Contaminação sintática

"É a fusão irregular de duas construções que, em separado, são regulares." [ED]
    Fiz com que Pedro viesse
    (fusão de *Fiz com Pedro que viesse* e *Fiz que Pedro viesse*).

Também resultam de contaminações sintáticas acumulações de preposições como:
    Andar por entre espinhos (*andar por espinhos* + *andar entre espinhos*).

7. Expressão expletiva ou de realce

É a que não exerce função gramatical:
    Nós *é que* sabemos viver.

8. Anáfora

Repetição da mesma palavra em começo de frases diferentes:
    "*Quem* pagará o enterro e as flores/ Se eu me morrer de amores?/ *Quem*, dentre amigos, tão amigo/ Para estar no caixão comigo?/ *Quem*, em meio

ao funeral/ Dirá de mim: — Nunca fez mal.../ *Quem*, bêbedo, chorará em voz alta/ De não me ter trazido nada?/ *Quem* virá despetalar pétalas/ No meu túmulo de poeta?" [VM]

Também chamamos de anáfora o processo sintático em que um termo retoma outro anteriormente citado: A *cadela* Laika foi o primeiro *animal* da Terra a ser colocado em órbita. *Ela* morreu horas depois do lançamento.

9. Anástrofe

Inversão de palavras na frase:
De repente *chegou a hora*. (Por: De repente *a hora chegou*.)

10. Assíndeto

Tipo de elipse que se aplica à ausência de conectivos:
Vim, vi, venci. [Júlio César]
Espero sejas feliz! (Por: *Espero que sejas* feliz!)

11. Hipérbato

Inversão violenta entre termos da oração:
"Sobre o banco de pedra que ali tens/ Nasceu uma canção. (...)" [VM]

12. Polissíndeto

Repetição enfática de conectivos:
E corre, *e* chora, *e* cai sem que possamos ajudar o amigo.

13. Silepse

Discordância de gênero, de pessoa ou de número por se levar mais em conta o sentido do que a forma material da palavra:
Saímos todos desiludidos da reunião. (Por: *Saíram todos* desiludidos da reunião)

14. Sínquise

Inversão violenta de palavras na frase que dificulta a compreensão. É prática a ser evitada.

Quase sempre essa deslocação violenta dos termos oracionais exige, para o perfeito entendimento da mensagem, nosso conhecimento sobre as coisas e saber de ordem cultural:
Abel matou Caim. (Por: *Caim matou Abel.*)

15. Zeugma

Costuma-se assim chamar a elipse do verbo:
"Não *queria*, porém, ser um estorvo para ninguém. *Nem atrapalhar* a vida da casa." [AMM] (omissão do verbo *querer*)

II – Vícios e anomalias de linguagem

Entre os vícios de linguagem cabe menção aos seguintes:

1. Solecismo

Construção (que abrange a concordância, a regência, a colocação e a má estruturação dos termos da oração) que resulta da impropriedade de fatos gramaticais ou da inadequação de se levar para uma variedade de língua a norma de outra variedade; em geral, da norma coloquial ou popular para a norma exemplar:
Eu lhe abracei. (Em vez de: *Eu o abracei.*)

2. Barbarismo

Erro no emprego de uma palavra, em oposição ao solecismo, que o é em referência à construção ou combinação de palavra. Inclui o erro de pronúncia (ortoepia), de prosódia, de ortografia, de flexões, de significado, de palavras inexistentes na língua, de formação irregular de palavras:

| *rúbrica* | por | *rubrica* |
| *a telefonema* | por | *o telefonema* |

3. Estrangeirismo

Emprego de palavras, expressões e construções alheias ao idioma que a ele chegam por empréstimos tomados de outra língua. Os estrangeirismos léxicos entram no idioma por um processo natural de assimilação de cultura ou de contiguidade geográfica.

São exemplos de galicismos ou francesismos:
1) Certos empregos da preposição *a* em vez de *de*:
equação a duas incógnitas

2) Certos empregos da preposição *contra*:
pagar contra recibo   por   pagar com, mediante recibo

3) Certos empregos da preposição *de*:
envelhecer de dez anos   por   envelhecer dez anos

São exemplos de anglicismos:
1) Léxicos:
básico (p.ex.: *inglês básico, francês básico*, etc.)

2) Sintáticos: a anteposição do adjetivo ao seu substantivo, com valor meramente descritivo, como nos nomes de hotéis e estabelecimentos comerciais: Majestoso Hotel.

São exemplos de castelhanismos (léxicos):
entretenimento (= divertimento)
piso (= andar, pavimento)

São exemplos de italianismos léxicos (muito frequentes em termos de arte, música):
adágio (= andamento musical vagaroso)
aquarela (= pintura feita com tinta diluída em água)

Anomalias de linguagem

Idiotismo ou *expressão idiomática* é toda a maneira de dizer que, não podendo ser analisada ou estando em choque com os princípios gerais da Gramática, é aceita no falar formal.

São idiotismos de nossa língua a expressão *é que*, o infinitivo (porque a sua flexão contraria o conceito de forma infinita, isto é, não flexionada) flexionado, a preposição em *o bom do pároco*, etc.

PARTE 5

Estrutura das unidades

Capítulo 21
Elementos estruturais das palavras

Capítulo 22
Renovação do léxico

Capítulo 23
Lexemática

Capítulo 21
Elementos estruturais das palavras

Morfema

Chama-se *morfema* a unidade mínima dotada de significação que integra a palavra.

Os diversos tipos de morfema: radical e afixos

Radical é o núcleo onde repousa o significado relacionado com as noções do nosso mundo (ações, estados, qualidades, ofícios, seres em geral, etc.).

A palavra se constitui de dois tipos de *morfema*: o que expressa o significado das noções do mundo, chamado significado *lexical* ou *externo* (o *radical*), e outro que expressa o significado *gramatical* ou *interno* (os *afixos*, representados pelos morfemas de *flexão* e os morfemas de *derivação*).

Vogal temática: o tema

Entre o radical e os afixos pode aparecer a *vogal temática*, que é classificatória, pois distingue os nomes e os verbos em grupos ou classes conhecidos por *grupos nominais* (*casa / livro / ponte ~ pente*) e *grupos verbais*. A união do radical com a vogal temática chama-se *tema*.

Nos nomes as vogais temáticas estão representadas na escrita pelos grafemas *-a, -o* e *-e* (*casa, livro, ponte*), e nos verbos, por *-a, -e* e *-i* (*trabalhar, escrever, partir*).

Os nomes terminados por vogal tônica ou por consoante perdem sua vogal temática no singular: *fé, mar, paz, mal*. Por isso, são chamados *atemáticos*.

Morfemas livres e presos

Diz-se que o morfema é *livre* quando tem forma que pode aparecer com vida autônoma no discurso; em caso contrário, diz-se que é *preso*.

Um radical pode ter uma variante que só aparece como forma presa. A variante de morfema se chama *alomorfe*.

Podem os elementos ser todos livres (*apor, compor, guarda-chuva*), ou todos presos (*agrícola, perceber*), ou, ainda, combinados os tipos (*agricultura, gasoduto*).

Palavras indivisíveis e divisíveis

Indivisível é a palavra que só possui como elemento mórfico o radical: *mar, sol, ar, é, hoje, lápis, luz*.

Divisível é a palavra que, ao lado do radical, pode desmembrar-se em outros elementos mórficos: *mares* (*mar-e-s*).

Diz-se *simples* a palavra divisível que só possui um radical.

Por causa da nova aplicação de significado que os afixos comunicam ao radical, as palavras simples se dividem em *primitivas* e *derivadas*.

Primitiva é a palavra simples que não resulta de outra dentro da língua portuguesa: *livro, belo, barco*.

Derivada é a palavra simples que resulta de outra fundamental: *livraria, embelezar, barquinho*.

Composta é a palavra que possui mais de um radical: *guarda-chuva, lanígero, planalto*.

Chama-se, em gramática descritiva, *radical primário* ou *irredutível* aquele a que se chega dentro da língua portuguesa e é comum a todas as palavras de uma mesma família.

Palavras cognatas: família de palavras

Chamam-se *cognatas* as palavras que pertencem a uma família de radical e significação comuns: *corpo, corporal, incorporar, corporação, corpúsculo, corpanzil*.

Não se confunda aparência formal com palavras cognatas; pode tratar-se de falsos cognatos. É o caso, por exemplo, da aproximação indevida que se faz entre *faminto* 'com fome' e *famigerado* 'famoso' (do radical *fama*).

Afixos: sufixos e prefixos. Interfixos

Sufixos

O sufixo forma nova palavra, emprestando à base uma ideia acessória e marcando-lhe a categoria (substantivo, adjetivo, verbo, advérbio) a que pertence.

Os sufixos são *nominais* (formadores de substantivos e adjetivos), *verbais* (de verbo) e o único adverbial, que é *-mente*, que se prende a adjetivos uniformes ou, quando biformes, à forma feminina: *firme → firmemente; cômoda → comodamente*.

Prefixos

O prefixo empresta ao radical uma nova significação e se relaciona semanticamente com as preposições. Os prefixos, em geral, se agregam a verbos ou a adjetivos: *in-feliz*, *des-leal*, *sub-terrâneo*. São menos frequentes os derivados em que os prefixos se agregam a substantivos; os que mais ocorrem são, na realidade, deverbais, como em *des-empate*. Ao contrário dos sufixos, que assumem valor morfológico, os prefixos têm mais força significativa; podem aparecer como formas livres e não servem, como os sufixos, para determinar uma nova categoria gramatical. Nem sempre existe em português a preposição que corresponde ao prefixo empregado: *intermédio* (cf. preposição *entre*), *combater* (cf. preposição *com*), etc.

Interfixos

Chamam-se *interfixos* elementos formais átonos que, sem função gramatical e significativa, servem de ligação entre a base e o sufixo.

Alguns autores preferem, em vez de interfixos, ver um conglomerado de sufixos resultante de um alongamento de sufixo, como se vê no derivado *ridicularizar*, de *ridículo*, no lugar de *ridiculizar*.

Vogais e consoantes de ligação

Também não têm função gramatical e semântica as vogais e consoantes de ligação que, na formação de novas palavras, se intercalam entre a base e o sufixo para facilitar a pronúncia ou para evitar hiatos, principalmente quando o radical termina por vogal tônica: *chá-l-eira*, etc. Em português, temos duas vogais de ligação: *i* e *o*. A vogal *i* aparece na composição de elementos latinos (*lanígero*, *dentifrício*) e *o*, nos elementos gregos: *gasômetro*.

Fenômenos que ocorrem na ligação de elementos mórficos

Os principais são:
1) *Haplologia* ou *braquilogia*: simplificação para evitar reduplicações de sílabas: *caridade* + *oso* → *caridoso* (por *caridadoso*).
2) *Fusão*: origem de ditongos ou crase: *canal* + *s* → *canale*[5] + *s* → *canaes* (três sílabas) → *canais* (duas sílabas, pela origem do ditongo).
3) *Supressão* de:
a) segmento medial pertencente a qualquer das bases: *petrodólar*.
b) elemento final: *narcótico* → *narcotizar*; *prioridade* → *priorizar*.

---

5   O uso de * significa que a expressão não está documentada ou é hipotética.

c) elemento final por cruzamento de bases: *motel* (motor + hotel).

Obs.: A supressão pode ocorrer pelo processo de formação de palavras chamado *abreviação* e *combinação*.

Morfema zero

Por oposição à presença de morfema, a ausência deste indica morfema zero.

Acumulação de elementos mórficos

Chama-se *acumulação* a possibilidade de uma mesma desinência acumular duas funções: nos verbos, o -*o* é uma desinência numeropessoal e também secundariamente uma desinência modotemporal (DNP + DMT) da 1.ª pessoa do presente do indicativo.

Neutralização e sincretismo

Oposto ao fenômeno da acumulação, há o fenômeno da *neutralização*, que consiste na suspensão de uma marca de oposição distintiva existente na língua: a oposição *masculino x feminino*: *menino x menina* pode anular-se ou neutralizar-se no plural, pois *meninos* (não ocorre a neutralização com *meninas*) pode indicar não apenas o plural de *meninos* (Daniel e Filipe), mas também o conjunto de *menino(s)* e *menina(s)* (Daniel + Clarice + Filipe).

Não se deve confundir a neutralização com *sincretismo*, que é a ausência de manifestação de marca material num paradigma ou numa de suas seções. Assim, no paradigma verbal do português, a 1.ª e 3.ª pessoas se distinguem em outras seções (*canto / canta; cantei / cantou*), mas não se distinguem, por exemplo, no imperfeito (*cantava / cantava; saía / saía*).

A intensidade, a quantidade, o timbre e os elementos mórficos

Muitas vezes, a intensidade, a quantidade e o timbre servem para ressaltar uma noção gramatical. O acento intensivo se mostra decisivo para distinguir o adjetivo, o verbo e o substantivo em *sábia*, *sabia* e *sabiá*.

A maior demora numa sílaba em regra traduz uma ênfase estilística da palavra: "Idiota! Trezentos e sessenta contos não se entregam nem à mão de Deus Padre! Idiota! *Idioota*!... *Idioooota*..." [ML]

A mudança de timbre (metafonia) concorre com a desinência da palavra para caracterizar o gênero, o número ou a pessoa do verbo: *caroço* (singular com *o* tônico fechado) → *caroços* (plural com *o* tônico aberto); *esse / essa*, *fez / fiz*, etc.

Suplementação nos elementos mórficos

A suplementação consiste em suprir uma forma com auxílio de outra oriunda de radical diferente. O verbo *ser* é anômalo porque, nas suas flexões, pede o concurso de mais de um radical.

Procede-se também a uma suplementação na conjugação dos verbos defectivos: *acautelo-me, acautelas-te, acautela-se,* precavemo-nos, precaveis-vos, *acautelam-se,* se quisermos suprir as faltas do verbo *precaver-se* com o verbo sinônimo *acautelar-se.*

A parassíntese

O processo consiste na entrada *simultânea* de prefixo e sufixo, de tal modo que não existirá na língua a forma ou só com prefixo ou só com sufixo; é o caso de *claro* para formar *aclarar,* em cujo processo entram concomitantemente o prefixo *a-* e o final *-ar,* elemento de flexão verbal que funciona, por acumulação, como sufixo.

Hibridismo

Entende-se por *hibridismo* o processo de formação de palavra em que entram elementos de línguas diferentes. Assim, *sociologia* é um hibridismo, porque encerra um elemento de origem latina (*sócio-*: 'sociedade') e outro grego (*-logia*: 'estudo', 'tratado').

Capítulo 22
Renovação do léxico

Renovação do léxico: criação de palavras

O convívio da vida em sociedade favorece a criação de palavras para atender às necessidades culturais, científicas e da comunicação de um modo geral. Chamam-se *neologismos* as palavras que vêm ao encontro dessas necessidades renovadoras.

Entre os procedimentos formais de criação de palavras temos a *composição* e a *derivação* (*prefixal* e *sufixal*).

Outra fonte de revitalização lexical são os *empréstimos*, isto é, palavras e elementos gramaticais tomados (empréstimos) ou traduzidos (*calcos linguísticos*) de outra comunidade linguística dentro da mesma língua histórica (regionalismos, nomenclaturas técnicas e gírias), ou de outras línguas estrangeiras — inclusive grego e latim —, que são incorporados ao léxico da língua comum.

Conceito de composição e de lexia

Composição é a junção de dois ou mais radicais identificáveis pelo falante numa unidade nova de significado único e constante: *papel-moeda*, *boquiaberto*.

Um tipo especial de composição é a *lexia*, que consiste na formação de sintagmas complexos que podem ser constituídos de mais de dois elementos: *negócio da China* ('transação comercial vantajosa'), *pé de chinelo* ('diz-se da pessoa de poucos recursos'), *pé-frio* (azarento), *pé-quente* (sortudo).

A associação dos componentes das palavras compostas se pode dar por:
a) **Justaposição:** *guarda-roupa*, *mãe-pátria*, *vaivém*. Os elementos conservam certa individualidade acentual, que é indicada, em regra, na escrita, pelo hífen.
b) **Aglutinação:** *planalto*, *auriverde*, *fidalgo*. Os elementos estão ligados mais intimamente, já que um deles perde o seu acento tônico vocabular.

A derivação

A **derivação** consiste em formar palavras de outra primitiva por meio de afixos. De modo geral, os derivados se formam dos radicais de tipo latino em vez dos de tipo português, quando este sofreu a evolução própria da história da língua: *áureo* (e não *ouro*), *capilar* (e não *cabelo*), *aurícula* (e não *orelha*), etc.

Os afixos se dividem, em português, em *prefixos* (se vêm antes do radical) ou *sufixos* (se vêm depois). Daí a divisão em *derivação prefixal* e *sufixal*.

Derivação sufixal: *livraria, livrinho, livresco*.
Derivação prefixal: *reter, deter, conter*.

Os principais prefixos que ocorrem em português são de procedência latina ou grega. Ainda que os prefixos latinos tenham o mesmo significado de seus correspondentes gregos, formando assim palavras sinônimas, estas em regra não se podem substituir mutuamente, porque têm esferas semânticas diferentes.

Os sufixos dificilmente aparecem com uma só aplicação; em regra, revestem-se de múltiplas acepções. A noção de aumento corre muitas vezes paralela à de coisa grotesca e se aplica às ideias pejorativas: *poetastro, mulheraça*. Os sufixos que formam nomes diminutivos traduzem ainda carinho: *mãezinha, paizinho, maninho*. Outras vezes, alguns sufixos assumem valores especiais (por exemplo *florão* não se aplica em geral a 'flor grande', mas a uma espécie de ornato de arquitetura), enquanto outros perdem o seu primitivo significado, como *carreta, camisola*. Por fim, cabe assinalar que temos sufixos de várias procedências; os latinos e gregos são os mais comuns nas formações eruditas.

Além dos processos gerais típicos de formação de palavras (composição e derivação), possui o português mais os seguintes: **formação regressiva (deverbal)**, **abreviação, reduplicação, conversão, intensificação e combinação**.

A **formação regressiva** consiste em criar palavras por analogia, pela subtração de algum sufixo, dando a falsa impressão de serem vocábulos derivantes: de *atrasar* tiramos *atraso*; de *embarcar, embarque*; de *pescar, pesca*; de *gritar, grito*.

A **abreviação** consiste no emprego de uma parte da palavra pelo todo. É comum não só no falar coloquial, mas ainda na linguagem cuidada, por brevidade de expressão: *extra* por *extraordinário* ou *extrafino*.

Pode-se incluir como caso especial da abreviação o processo de se criarem palavras, com vitalidade no léxico, mediante a leitura (isoladamente ou não) das letras que compõem siglas, como, por exemplo: ONU (Organização das Nações Unidas) e PUC (Pontifícia Universidade Católica), por exemplo.

A **reduplicação**, também chamada *duplicação silábica*, consiste na repetição de vogal ou consoante, acompanhada quase sempre de alternância vocálica, geral-

mente para formar uma palavra imitativa: *tique-taque, reco-reco, bangue-bangue, bombom.*
Este é o processo geralmente usado para formar as onomatopeias.

A **conversão** consiste no emprego de uma palavra fora de sua classe normal: Terrível palavra é um *não.*
Entre os casos de conversão podemos incluir a passagem de uma unidade da palavra (geralmente a final) à palavra isolada: *Estamos no século dos **ismos** e das **logias**.*
Inclui-se também entre os casos frequentes de conversão o emprego do adjetivo como advérbio, tanto no registro informal quanto no formal: O aluno leu *rápido.*
O emprego da forma plena do advérbio com o sufixo *-mente* (O aluno leu *rapidamente*) é mais comum no registro formal.

Observação:

➦ Os casos de conversão recebiam o nome de *derivação imprópria.* Como a conversão não repercute na estrutura do significante de base, muitos estudiosos não a incluem como processo especial de formação de palavras.

A **intensificação** é um caso especial pelo qual se deseja traduzir a intensificação ou expressividade semântica de uma palavra já existente, mediante o alargamento de sufixos, quase sempre *-izar*, ou, às vezes, por modelos franceses ou ingleses: *agilizar* por *agir; veiculizar* por *veicular.*

A **combinação** é um caso especial de composição em que a nova unidade resulta da combinação de parte de cada um dos dois termos que entram na formação dela: *português + espanhol → portunhol; Bahia + Vitória → Bavi*. São comuns na linguagem jocosa: *sofrer + professor → sofressor; aborrecer + adolescente → aborrescente.*

Capítulo 23

Lexemática

No estudo da estrutura do conteúdo (significado) importa distinguir as *relações de significação* das *relações de designação*. As relações de significação manifestam-se entre significados dos signos linguísticos, enquanto as de designação são relações entre os signos linguísticos e as realidades extralinguísticas por eles designadas e representadas no discurso: *A porta está aberta* e *A porta não está fechada* não são orações *sinônimas*, porque não têm o mesmo significado. São orações *equivalentes na designação*, porque apontam para a mesma realidade extralinguística.

A disciplina que estuda a estruturação das relações de significação recebe o nome de *lexemática*. Só os lexemas ou palavras lexemáticas entram nesse campo, porque só elas são "estruturáveis", isto é, só elas se opõem por traços distintivos.

Cada unidade de conteúdo léxico expresso no sistema linguístico é um *lexema*. Uma unidade cujo conteúdo é idêntico ao conteúdo comum de duas ou mais unidades de um campo é um *arquilexema*. Os traços distintivos que caracterizam os lexemas chamam-se *semas*.

Por exemplo, o campo lexical de "assento": "assento" é o arquilexema desse campo, que tem como lexemas, em português, entre outros que deixaremos de lado: *cadeira, poltrona, sofá, canapé, banco* e *divã*.

Como traços distintivos dos lexemas proporemos os seguintes *semas* ou *traços distintivos*:

S1: 'objeto construído para a gente se sentar'
S2: 'com encosto'
S3: 'para uma pessoa'
S4: 'com braços'
S5: 'com pés'
S6: 'feito de material rijo'

Levando-se em conta que a presença do sema será indicado por + e sua ausência ou presença opcional por –, teremos:

	S1	S2	S3	S4	S5	S6
banco	+	−	−	−	+	+
cadeira	+	+	+	−	+	+
poltrona	+	+	+	+	+	−
sofá	+	+	−	+	+	−
divã	+	−	+	−	+	−
canapé	+	+	−	+	+	+

Pelo exposto, vê-se que não basta dizer, por exemplo, que "*banco* é um objeto construído para a pessoa se sentar", pois tal definição se aplicaria indistintamente a todos os lexemas incluídos no campo léxico, isto é, ao arquilexema *assento*. Com base nos semas, isto é, nos traços distintivos que separam os lexemas arrolados no exemplo, diremos que "banco é um objeto construído para a pessoa se sentar, com material rijo (madeira, ferro, cimento), dotado de pés, em geral sem encosto".

Estruturas secundárias

As *estruturas paradigmáticas* secundárias correspondem ao domínio da formação de palavras e podem manifestar-se por estruturas de *derivação* e de *composição*.

As *estruturas sintagmáticas* são *solidariedades*, isto é, relações entre dois lexemas pertencentes a campos diferentes dos quais um está compreendido, em parte ou totalmente, no outro, como traço distintivo (sema), que limita sua combinação.

Alterações semânticas

1) Figuras de palavras

No decorrer de sua história nem sempre a palavra guarda seu significado *etimológico*, isto é, *originário*. Por motivos variadíssimos, ultrapassa os limites de sua primitiva "esfera semântica" e assume valores novos.

Entre as causas que motivam a mudança de significação das palavras, as principais são:

a) *Metáfora* – mudança de significado motivada pelo emprego em solidariedades, em que os termos implicados pertencem a classes diferentes mas, pela combinação, se percebem também como assimilados: *cabelos **de neve**, **pesar** as razões, os dias **correm**, a noite **caiu**,* etc.

b) *Metonímia* – mudança de significado pela proximidade de ideias:
   1 – causa pelo efeito, ou vice-versa, ou o produtor pelo objeto produzido: *ler Machado de Assis* (isto é, *um livro escrito por Machado de Assis*).
   2 – o tempo ou o lugar pelos seres que se acham no tempo ou lugar: *a nação* (isto é, *os componentes da nação*).
   3 – o continente pelo conteúdo, ou vice-versa: *comi dois pratos* (isto é, *a porção da comida que dois pratos continham*).
   4 – o todo pela parte, ou vice-versa: *encontrar um teto amigo* (isto é, *uma casa*).
   5 – a matéria pelo objeto: *uma prata* (isto é, *moeda de prata*).
   6 – o lugar pelo produto ou características, ou vice-versa: *havana* (isto é, *charutos da cidade de Havana*).
   7 – o abstrato pelo concreto: *praticar a caridade* (isto é, *atos de caridade*).
   8 – o sinal pela coisa significada, ou vice-versa: *o trono* (isto é, *o monarca*).

c) *Catacrese* – mudança do significado por esquecimento do significado original: *embarcar no trem, calçar as luvas*.

d) *Braquilogia ou abreviação* – as diversas acepções de uma palavra devidas à elipse do determinante, ou vice-versa: *dou-lhe a minha palavra* (isto é, *palavra de honra*).

e) *Eufemismo* – mudança de sentido pela suavização da ideia:
   1 – para a morte: *entregar a alma a Deus, dar o último suspiro* (literários), etc.
   2 – para a bebida: *água que gato (passarinho) não bebe*.
   O tabu linguístico pode favorecer o aparecimento de expressões eufemísticas.

f) *Antonomásia* – substituição de um nome próprio por um comum ou vice-versa, com intuito explicativo, elogioso, irônico, etc.: *a cidade luz* (em referência a Paris); *o Salvador* (em referência a Jesus Cristo), etc.

g) *Sinestesia* – translação semântica que implica uma transposição sensorial em diferentes campos de sensação corporal: *uma mentira fria* (tato) e *amarga* (paladar); *uma gargalhada* (audição) *luminosa* (visão).

h) *Hipálage* – inversão das relações naturais entre palavras em um enunciado: "Jorge *enfiou a rédea no braço* e colocou-se ao lado dela; Iaiá tomou-lhe afoutamente o outro braço." [MA]. (por: enfiou o braço na rédea).

i) *Alterações semânticas por influência de um fato de civilização*: *cor* (saber, guardar, ter de cor = de memória) relembra-nos a época em que a anatomia antiga fazia do coração a sede dos sentimentos, da inteligência, da memória.

j) *Etimologia popular ou associativa*
É a tendência que o falante — culto ou inculto — revela em aproximar uma palavra a um determinado significado, com o qual verdadeiramente não se relaciona: *inconteste* (= sem testemunho) passa a sinônimo de 'incontestável'; *falaz* (= falso, enganador) é aproximado de 'falador'.

2) Figuras de pensamento

a) *Antítese* – oposição de palavras ou ideias: um *riso de tormenta*; uma *alegria dolorosa*.
b) *Apóstrofe* – invocação a seres reais ou imaginários: *Meu Deus*, mostre-me um caminho.
c) *Hipérbole* – expressão que envolve um exagero: Ela é um *poço de vaidade*.
d) *Ironia* – dizer algo por expressão às avessas (por exemplo: "Bonito!" como expressão de reprovação).
e) *Oximoro* – figura em que se combinam palavras de sentido oposto que parecem excluir-se mutuamente, mas que, no contexto, reforçam a expressão: *obscura claridade, silêncio ensurdecedor*.
f) *Paradoxo* – consiste na expressão de pensamentos antitéticos aparentemente absurdos: *Vivo sem viver em mim*.
g) *Prosopopeia* (também chamada personificação) – figura que consiste em dar vida a coisa inanimada, ou atribuir características humanas a objetos, animais ou mortos: *Minha experiência diz o contrário do que me dizem*; *O relógio cansou de trabalhar*.

Além dessas figuras ocorrem expressões e termos usados em algumas ciências da linguagem, como os seguintes:
a) *Eu lírico* – primeira pessoa gramatical fictícia não identificável com o autor.
b) *Função fática* (ou *de contato*) – função da linguagem que interrompe, enlaça ou dá novos aspectos à mensagem. A função fática está centrada na eficiência do canal de comunicação e faz uso de palavras ou expressões (p.ex.: Alô!, Entenderam?, Veja bem..., Está me ouvindo?) que buscam checar e prolongar o contato entre emissor e destinatário.
c) *Função referencial* – função da linguagem que consiste em o emissor se restringir a assinalar os fatos de um modo objetivo. A mensagem está centrada naquilo de que se fala, normalmente com o uso da 3ª. pessoa.
d) *Hiperônimo* – vocábulo de sentido mais genérico em relação a outro, com o qual tem traços semânticos comuns. Por exemplo: *assento* é hiperônimo de *cadeira*, de *poltrona*, etc.; *animal* é hiperônimo de *leão*; *flor* é hiperônimo de *malmequer*, de *rosa*, etc.

e) *Hipônimo* – vocábulo de sentido mais específico em relação a outro, com o qual tem traços semânticos comuns. Por exemplo: *cadeira* é hipônimo de *assento*; *leão* é hipônimo de *animal*, etc.
f) *Metalinguagem* – utilização da linguagem para falar da própria linguagem (por exemplo, um texto que fale de como devemos escrever).

Outros aspectos semânticos

1. Polissemia

É o fato de haver uma só forma (significante) com mais de um significado unitário pertencente a campos semânticos diferentes: *manga* (de camisa ou de candeeiro) – *manga* (fruto) – *manga* (= bando, ajuntamento) – *manga* (parede).

É preciso não confundir a polissemia léxica ou *homofonia* com variação semântica ou polivalência no falar (fato de fala), que consiste na diversidade de acepções (sentidos) de um mesmo significado da língua segundo os valores contextuais, ou pela designação, isto é, graças ao conhecimento dos "estados de coisas" extralinguísticos.

2. Homonímia

Por *homonímia* entende a tradição: "propriedade de duas ou mais formas, inteiramente distintas pela significação ou função, terem a mesma estrutura fonológica, os mesmos fonemas, dispostos na mesma ordem e subordinados ao mesmo tipo de acentuação"; como exemplo: um homem *são*; *São* Jorge; *são* várias as circunstâncias.

Dentro da homonímia, alude-se, em relação à língua escrita, aos *homófonos* distinguidos por ter cada qual um grafema diferente, de acordo com o sistema ortográfico: *coser* 'costurar', *cozer* 'cozinhar'; *expiar* 'sofrer', *espiar* 'olhar sorrateiramente'; *seção* 'divisão', *sessão* 'reunião', *cessão* 'ato de ceder', 'concessão'.

3. Sinonímia

É o fato de haver mais de uma palavra com semelhante significação, podendo uma estar em lugar da outra em determinado contexto, apesar dos diferentes matizes de sentido ou de carga estilística: *casa, lar, morada, residência, mansão*.

4. Antonímia

É o fato de haver palavras que entre si estabelecem uma oposição *contraditória* (*vida; morte*), *contrária* (*chegar; partir*) ou *correlativa* (*irmão; irmã*).

5. Paronímia

É o fato de haver palavras parecidas na sua estrutura fonológica e diferentes no significado. Os parônimos dão margem a frequentes erros de impropriedade lexical:
    descrição: ato de descrever e **discrição:** qualidade de quem é discreto
    emergir: ir de dentro para fora ou para a superfície e **imergir:** ir de fora para dentro, para o fundo

PARTE 6

Fonemas: valores e representações. Ortografia

Capítulo 24
Fonética e Fonologia

Apêndice
Fonética expressiva ou Fonoestilística

Capítulo 25
Ortoepia

Capítulo 26
Prosódia

Capítulo 27
Ortografia

Apêndice 1
Algumas normas para abreviaturas, símbolos e siglas usuais

Apêndice 2
Grafia certa de certas palavras

Capítulo 28
Pontuação

Capítulo 24
Fonética e Fonologia

Fonema e alofone

Chamam-se *fonemas* as unidades que pertencem ao sistema de sons de uma língua, dotados de valor distintivo, nas palavras que o homem produz para expressar e comunicar ideias e sentimentos.

Os fonemas de uma língua caracterizam-se por estar em *oposição fonológica pertinente* ou *distintiva*. Este é o caso, por exemplo, da oposição entre /a/ e /i/ em português: o /a/ tônico de *fala* não pode ser trocado pela vogal /i/, pois da troca resultaria outra palavra, *fila*. Conclui-se, assim, que /a/ e /i/ são dois fonemas do português. Se, entretanto, em vez de pronunciarmos a palavra *carta* com [R] vibrante, optarmos por um [ɻ] retroflexo, típico do interior paulista, ou um [h] fricativo, típico do falar carioca, concluiremos que há entre esses sons *oposição fonológica não distintiva*, pois o efeito das mudanças físicas se restringe a pronúncias diferentes da mesma palavra. Conclui-se, assim, que [R], [ɻ], e [h] são *alofones* do fonema /R/.

Fonemas não são letras

Desde logo uma distinção se impõe: não se há de confundir *fonema* com *letra*. *Fonema*, conforme já observamos, é uma unidade fonológica, ao passo que *letra* é o símbolo que representa os fonemas na escrita. Não há identidade perfeita, muitas vezes, entre os fonemas e a maneira de representá-los na escrita, o que nos leva facilmente a perceber a impossibilidade de uma *ortografia* ideal, entendida como a representação gráfica de um fonema por uma só e única letra. Temos, no português do Brasil, *sete* vogais orais tônicas: /a/, /e/, /ɛ/, /i/, /o/, /ɔ/, /u/; no entanto, tais fonemas são representados graficamente por apenas *cinco* letras: a, e, i, o, u. Quando queremos distinguir um /e/ (fechado) de um /ɛ/ (aberto), geralmente utilizamos sinais gráficos subsidiários: o acento agudo (*fé*) ou o circunflexo (*vê*). Há letras que se escrevem por várias razões, mas que não se pronunciam, e portanto não representam a vestimenta gráfica do fonema; é o caso do *h* em *homem* ou em *oh!*.

Vogais e consoantes

A voz humana se compõe de *tons* (sons musicais) e *ruídos*, que o nosso ouvido distingue com perfeição. Caracterizam-se os tons, quanto às condições acústicas, por suas vibrações periódicas. Esta divisão corresponde, em suas linhas gerais, às vogais (= tons) e às consoantes (= ruídos). As consoantes podem ser ruídos puros, isto é, sem vibrações regulares (correspondem às consoantes surdas), ou ruídos combinados com um tom laríngeo (consoantes sonoras).

Quanto às condições fisiológicas de produção, as vogais são fonemas durante cuja articulação a cavidade bucal se acha completamente livre para a passagem do ar. As consoantes são fonemas durante cuja produção a cavidade bucal está total ou parcialmente fechada, constituindo, assim, num ponto qualquer, um obstáculo à saída da corrente expiratória.

Na língua portuguesa a *base da sílaba* ou o *elemento silábico* é a vogal; os elementos *assilábicos* são a consoante e a semivogal.

Vogais orais e nasais

As vogais orais caracterizam-se por serem pronunciadas mediante passagem da corrente de ar pela boca. Já as vogais nasais ressoam nas fossas nasais. As sete vogais orais em sílaba tônica são /a/, /ɛ/, /e/, /i/, /ɔ/, /o/ e /u/: c**a**sa, f**e**sta, c**e**do, v**i**da, b**o**la, b**o**lo, **u**va. Já as vogais nasais são /ã/, /ẽ/, /ĩ/, /õ/, /ũ/: l**ã**, c**an**to, c**am**pina, v**en**to, v**en**tania, l**im**pido, v**i**zinhança, c**on**de, c**on**dessa, t**un**da, pron**un**ciamos.

Classificação das vogais orais

Uma descrição completa das vogais impõe classificá-las de acordo com a sílaba (tônica, pretônica, postônica) em que figuram. Optamos por aqui apresentar apenas a classificação em sílaba tônica,[6] que se faz segundo dois traços articulatórios: a *zona de articulação* e a *altura*. Com a boca ligeiramente aberta e a língua na posição quase de repouso, proferimos o fonema /a/, que é o que exige menor esforço e constitui a *vogal central*. Se daí passarmos à série /ɛ/, /e/, /i/, notaremos que a ponta da língua avança para frente, ou seja, em direção à zona anterior da boca. Por tal motivo, tais vogais são classificadas como *anteriores*. Já na série /ɔ/, /o/, /u/ a língua projeta-se para trás, em direção à zona posterior da boca, razão por que tais vogais são denominadas *posteriores*. O movimento vertical da língua revela que as vogais situam-se em quatro posições: a vogal baixa /a/, as médias baixas /ɛ/ e /e/, as médias altas /ɔ/ e /o/ e as altas /i/ e /u/.

---

6   Uma classificação das vogais mais completa pode obter-se na *Gramática Escolar da Língua Portuguesa* ou na *Moderna Gramática Portuguesa*, ambas do mesmo autor desta obra.

Semivogais. Encontros vocálicos: ditongos, tritongos e hiatos

Chamam-se *semivogais* os fonemas vocálicos /y/ e /w/ (orais ou nasais) que acompanham a vogal numa mesma sílaba. Os encontros de vogais e semivogais dão origem aos *ditongos* e *tritongos*, ao passo que o encontro de vogais dá origem aos *hiatos*. Graficamente, a semivogal /y/ é representada pelas letras *i* (c*ai*, l*ei*, f*ui*, Urugu*ai*, etc.) nos ditongos e tritongos orais, e pela letra *e* (m*ãe*, p*ães*, etc.) nos ditongos nasais; a semivogal /w/ é representada pela letra *u* (p*au*, c*éu*, v*iu*, guauc*á*) nos ditongos e tritongos orais, e pela letra *o* (p*ão*, m*ão*, sag*uão*, etc.) nos ditongos e tritongos nasais.

Ditongo é o encontro de uma vogal e de uma semivogal, ou vice-versa, na mesma sílaba: p*ai*, m*ãe*, *ág*ua, c*ári*e, m*ágo*a, r*ei*.

Sendo a vogal a base da sílaba ou o elemento silábico, é ela o som vocálico que, no ditongo, se ouve mais distintamente. Nos exemplos dados, são vogais: p*a*i, m*ã*e, ág*u*a, cár*i*e, mág*o*a, r*e*i.

Os ditongos podem ser:
a) crescentes ou decrescentes;
b) orais ou nasais.

Crescente é o ditongo em que a semivogal vem antes da vogal: ág*ua*, cár*ie*, mág*oa*.

Decrescente é o ditongo em que a vogal vem antes da semivogal: p*ai*, m*ãe*, r*ei*.

Como as vogais, os ditongos são orais (p*ai*, ág*ua*, cár*ie*, mág*oa*, r*ei*) ou nasais (m*ãe*).

Os ditongos nasais são sempre fechados, enquanto os orais podem ser *abertos* (p*ai*, c*éu*, r*ói*, id*ei*a) ou *fechados* (m*eu*, d*oi*do, v*ei*a).

Nos ditongos nasais, são nasais a vogal e a semivogal, mas só se coloca o til sobre a vogal: m*ãe*.

Principais ditongos crescentes:
Orais:
1) [ya]: *glória, pátria, diabo, área, nívea*
2) [ye]: (= yi): *cárie, calvície*
3) [yɛ]: *dieta*
4) [yo]: *vário, médio, áureo, níveo*
5) [yɔ]: *mandioca*
6) [yo]: *piolho*
7) [yu]: *miudeza*
8) [wa]: *água, quase, dual, mágoa, nódoa*
9) [wi]: *linguiça, tênue*
10) [wɔ]: *quiproquó*
11) [wo]: *aquoso, oblíquo*
12) [we]: *coelho*
13) [wɛ]: *equestre, goela*

Observação:

▶ Palavras como *série*, *glória*, que podem ser proferidas como dissílabas (mais usual) ou trissílabas, não têm os encontros vocálicos separados na divisão silábica: sé-rie, gló-ria, em ambos os casos de pronúncia.

Nasais:
1) [ỹã]: *criança*
2) [ỹẽ]: *paciência*
3) [ỹõ]: *biombo*
4) [ỹũ]: *médium*
5) [w̃ã]: *quando*
6) [w̃ẽ]: *frequente, quinquênio, depoente*
7) [w̃ĩ]: *arguindo, quinquênio, moinho*

Principais ditongos decrescentes:
Orais:
1) [ay]: *pai, baixo*
2) [aw]: *pau, cacaus, ao*
3) [ɛy]: *réis, coronéis*
4) [ey]: *lei, jeito, fiquei*
5) [ɛw]: *céu, chapéu*
6) [ew]: *leu, cometeu*
7) [iw]: *viu, partiu*
8) [ɔy]: *herói, anzóis*
9) [oy]: *boi, foice*
10) [ow] *vou, roubo, estouro*
11) [uy] *fui, azuis*

Nasais:
1) [ãỹ]: *alemães, cãibra*
2) [ãw̃]: *pão, amaram*
3) [ẽỹ]: *bem, ontem*
4) [õỹ]: *põe, senões*
5) [ũỹ]: *mui, muito*

Tritongo é o encontro vocálico em que uma vogal se situa entre duas semivogais numa mesma sílaba. Os tritongos podem ser *orais* e *nasais*.
Orais:
1) [way]: *quais, paraguaio*
2) [wey]: *enxaguei, averigueis*
3) [wiw]: *delinquiu*
4) [wow]: *apaziguou*

Nasais:
1) [w̃ãw̃]: *mínguam, saguão, quão*
2) [w̃ẽỹ]: *delinquem, enxáguem*
3) [w̃õỹ]: *saguões*

Hiato é o encontro de duas vogais em sílabas diferentes por guardarem sua individualidade fonética: sa*í*da, c*aa*tinga, m*oi*nho. Isto se dá porque a passagem da primeira para a segunda se faz mediante um movimento brusco, com interrupção da voz.

Nota: Os encontros *ia, ie, io, ua, ue, uo* finais, átonos, seguidos ou não de *s*, classificam-se quer como ditongos, quer como hiatos, uma vez que ambas as emissões existem no domínio da língua portuguesa: histó-ri-a e histó-ria; sé-ri-e e sé-rie; pá-ti-o e pá-tio; ár-du-a e ár-dua; tê-nu-e e tê-nue; vá-cu-o e vá-cuo. Lembrando que, para efeito de divisão silábica, esses encontros finais não se separam.

Consoantes

Denominam-se *consoantes* os fonemas que se articulam mediante obstrução total ou parcial do fluxo de ar que sai dos pulmões e passa pela cavidade bucal.

Classificação das consoantes

Classificam-se as consoantes segundo os seguintes critérios:
a) modo de articulação – comportamento dos órgãos do aparelho fonador na articulação da consoante. Quanto ao modo de articulação, as consoantes podem ser *oclusivas, fricativas, africadas, laterais, vibrantes*, além do *tepe* e da *retroflexa*;
b) zona de articulação – lugar da cavidade bucal em que se articula a consoante. Quanto à zona de articulação, as consoantes podem ser: *bilabiais, labiodentais, linguodentais, alveolares, alveolopalatais, palatais* e *velares*;
c) vozeamento[7] – ocorrência ou não ocorrência de vibração das cordas vocais. Quanto ao vozeamento, as consoantes podem ser *vozeadas*, também denominadas *sonoras*, e *desvozeadas*, também denominadas *surdas*. As consoantes que se distinguem apenas pelo traço de vozeamento são denominadas *homorgânicas*;

---

7 A tradição gramatical denomina "papel das cordas vocais"

d) fluxo do ar[8] – modo pelo qual o ar flui para o exterior na articulação da consoante. Quanto ao fluxo de ar, as consoantes podem ser *orais*, se o ar passa apenas pela cavidade bucal, ou *nasais*, se o ar passa pela cavidade bucal com ressonância nas fossas nasais.

Encontro consonantal

Assim se chama o seguimento imediato de duas ou mais consoantes de um mesmo vocábulo. Há encontros consonânticos pertencentes a uma sílaba, ou a sílabas diferentes: li-*v*ro; *b*lu-sa; *p*ro-sa; *c*la-mor; ri*t*-*m*o; pa*c*-*t*o; a*f*-*t*a, a*d*-*m*i-tir. O encontro consonantal /ks/ é representado graficamente pela letra *x*: ane*x*o, fi*x*o. A esta representação se dá o nome de *dífono*. São mais raros em nossa língua os seguintes encontros consonânticos existentes em vocábulos eruditos. Estes encontros são separáveis, salvo os que aparecem no início de vocábulos:

[bd]: lamb-da
[bs]: ab-so-lu-to
[kk]: sec-ção
[dm]: ad-mi-tir
[gn]: dig-no
[mn]: mne-mô-ni-co

[ft]: af-ta
[pn]: pneu, pneu-má-ti-co
[ps]: psi-co-lo-gi-a
[pt]: ap-to
[stm]: ist-mo
[tn]: ét-ni-co
[st]: pis-ta

---

8 A tradição gramatical denomina "papel das cavidades bucal e nasal".

Apêndice
Fonética expressiva ou Fonoestilística

Os fonemas com objetivos simbólicos

Muitas vezes utilizamos os fonemas para melhor evocar certas representações. É deste emprego que surgem as *aliterações*, as *onomatopeias* e os *vocábulos expressivos*.

Aliteração

É a repetição de fonema, vocálico ou consonântico, igual ou parecido, para descrever ou sugerir acusticamente o que temos em mente e expressar, quer por meio de uma só palavra, quer por unidades mais extensas.

O sossego do vento ou o barulho ensurdecedor do mar ganham maior vivacidade através da aliteração dos seguintes versos: "As asas ao sereno e sossegado vento" (utilização do fonema fricativo alveolar sonoro e surdo). "Bramindo o negro mar de longe brada" (utilização principal dos fonemas *b, r* e *d*).

A aliteração tanto pode servir ao estilo solene e culto, como nos exemplos referidos, como pode estar presente nas manifestações de espontânea expressividade popular, conforme se vê nos provérbios, nas frases feitas, nos modos de dizer populares: são e salvo, cara ou coroa, de cabo a rabo, etc. O que importa acentuar é que a aliteração mais ocorre na exteriorização psíquica e no apelo do que na comunicação intelectiva.

Onomatopeia

É o emprego de fonema em vocábulo para descrever acusticamente um objeto pela ação que exprime.

São frequentes as onomatopeias que traduzem as vozes dos animais e os sons das coisas: o tique-taque do relógio, o marulho das ondas, o zunzunar da abelha, o arrulhar dos pombos.

Vocábulo expressivo

É o que não imita um ruído, mas sugere a ideia do ser que se quer designar com a ajuda do valor psicológico de seus fonemas: *romper, tagarelar, tremeluzir, jururu, ziriguidum, borogodó*.

Encontros de fonemas que produzem efeito desagradável ao ouvido

Muitas vezes, certos encontros de fonemas produzem efeito desagradável que repugna o ouvido e, por isso, cumpre evitar, sempre que possível. Esses defeitos são mais perceptíveis nos textos escritos porque a pessoa que os lê nem sempre faz as pausas e as entonações que o autor utilizou, com as quais diminui ou até anula os encontros de fonema que geram sons desagradáveis.

Entre os efeitos acústicos condenados estão: a *colisão*, o *eco*, o *hiato* e a *cacofonia*.

Colisão

É o encontro de consoantes que produz desagradável efeito acústico: "Se eu tenho de morrer na flor dos anos, Meu Deus! não seja já." [CA].

Às vezes a omissão de um substantivo aproxima duas preposições de que resulta colisão, fato que os escritores não se esforçam por evitar: "Tenho ali na parede o retrato dela, ao lado do do marido, tais quais na outra casa." [MA]; "A voz da nova mestra era doce, não daquela doçura da de sua mãe, um canto de pássaro mais que uma voz humana." [JL].

Também quase sempre não se evita a colisão do tipo de *no número, na nave, na noite, na nossa vida*, etc. Pode-se, sem ser obrigatório, fugir à colisão mediante substituição de *no, na, num*, etc. por *em o, em a, em um*, etc.: *em o número, em a nave*.

Eco

É a repetição, com pequeno intervalo, de palavras que terminam de modo idêntico. Por exemplo: Estas palavras subordinam frases em que se exprime condição necessária à realização ou *não* realização da ação principal.

Hiato

O hiato de vogais tônicas torna-se desagradável principalmente quando formado pela sucessão de palavras: Hoje há *a*ula./ *Ou eu ou ou*tro ouviria a campainha.

Cacofonia ou cacófato

É o encontro de sílabas de duas ou mais palavras que forma um novo termo de sentido inconveniente ou ridículo em relação ao contexto: "Ora veja *como ela* está estendendo as mãozinhas inexperientes para a chama das velas..." [CBr]; herói *da nação*, no*sso hino*, bo*ca dela*, nun*ca que es*tuda. Deve-se evitar, tanto quanto possível, que uma palavra comece pela mesma sílaba com que a anterior acabe: tor*re re*donda, nun*ca ca*savam, ignora-*se se se* trata disso. Cuidado maior há de se ter se a junção lembra palavra pouco delicada (p.ex.: o jogador mar*ca gol*), tão comum na imprensa falada e escrita.

Capítulo 25

Ortoepia

Ortoepia ou *ortoépia* é a parte da gramática que trata da correta pronúncia dos fonemas.

Preocupa-se não apenas com o conhecimento exato dos valores fonéticos dos fonemas, mas ainda com o ritmo, a entoação e expressão convenientes à boa elocução. A leitura em voz alta é excelente exercício para desenvolver tais competências.

Dígrafo

Não se há de confundir *dígrafo* ou *digrama* com encontro consonantal. *Dígrafo* é o emprego de duas letras para a representação gráfica de um só fonema, já que uma delas é letra diacrítica: pa*ss*o (cf. paço), *ch*á (cf. xá), ma*nh*ã, pa*lh*a, *en*viar, *ma*ndar. Há dígrafos para representar consoantes e vogais nasais.

Os dígrafos para consoantes são os seguintes: *ch* (chá), *lh* (malha), *nh* (banha), *sc* (nascer), *sç* (nasça), *xc* (exceto), *xs* (exsudar), *rr* (carro), *ss* (passo), *qu* (quero), *gu* (guerra), todos inseparáveis, com exceção de rr e ss, sc, sç, xc. E para as vogais nasais: *am* ou *an* (campo, canto), *em* ou *en* (tempo, vento), *im* ou *in* (limbo, lindo), *om* ou *on* (ombro, onda), *um* ou *un* (tumba, tunda).

Letra diacrítica

É aquela que se junta a outra para lhe dar valor fonético especial e constituir um dígrafo. Em português as letras diacríticas são *h, r, s, c, ç, u* para os dígrafos consonantais e *m* e *n* para os dígrafos vocálicos: c*h*á, ca*r*ro, pa*s*so, q*u*ero; ca*m*po, o*n*da. Portanto, na palavra *hora* não há dígrafo.

Ortografia e ortoepia

Certos hábitos de grafia tendentes a preservar letras gregas e latinas que não constituem fonemas em português acabaram levando a que tais letras passassem a ser incorretamente proferidas. É o caso do dígrafo *sc* de *nascer*, *piscina*, etc.

Outras grafias do sistema oficial favorecem novas pronúncias que alteram a divisão silábica tradicional, como em *sublinhar* e *abrupto*, que também já se ouvem como se neles tivéssemos os grupos consonantais *-bl-* e *-br-*: su-bli-nhar e a-brup--to. No caso desta última teremos duas grafias: *ab-rupto* e *abrupto*, e no caso de *sublinhar*, duas divisões silábicas: sub-li-nhar e su-bli-nhar.

Capítulo 26

Prosódia

Prosódia é a parte da fonética que trata do correto conhecimento da sílaba *predominante*, chamada *sílaba tônica*.

Sílaba é um fonema ou grupo de fonemas emitido num só impulso expiratório.

Em português, o elemento essencial da sílaba é a *vogal*.

Quanto ao número de sílabas, dividem-se os vocábulos em:
a) *monossílabos* (se têm uma sílaba): *é, há, mar, de, dê;*
b) *dissílabos* (se têm duas sílabas): *casa, amor, darás, você;*
c) *trissílabos* (se têm três sílabas): *cadeira, átomo, rápido, cômodo;*
d) *polissílabos* (se têm mais de três sílabas): *fonética, satisfeito, camaradagem, inconvenientemente.*

Numa palavra nem todas as sílabas são proferidas com a mesma intensidade e clareza. Há uma sílaba que se sobressai às demais por ser proferida com mais esforço muscular e mais nitidez e, por isso, se chama *tônica*. As outras sílabas se dizem *átonas* e podem estar antes (*pretônicas*) ou depois (*postônicas*) da tônica. Nas sílabas fortes repousa o *acento tônico* do vocábulo (*acento da palavra* ou *acento vocabular*).

Em português, quanto à posição do acento tônico, os vocábulos de duas ou mais sílabas podem ser:
a) *oxítonos*: o acento tônico recai na *última* sílaba: *materi**al**, princi**pal**, ca**fé**;*
b) *paroxítonos*: o acento recai na *penúltima* sílaba: *ba**rro**, pode**ro**so, **Pe**dro;*
c) *proparoxítonos*: o acento tônico recai na *antepenúltima* sílaba: *****só**lida, felicíssimo.*

Incluem-se entre os oxítonos os monossílabos tônicos, como já faziam os gregos.

Acento de intensidade

O acento de intensidade desempenha importante papel linguístico, decisivo para a significação da palavra. Assim, *sábia* é adjetivo, sinônimo de *erudita*; *sabia* é forma do pretérito imperfeito do indicativo do verbo *saber*; *sabiá* é substantivo designativo de conhecido pássaro. *Retifica* é verbo e *retífica*, substantivo.

Isoladas, as palavras regulam sua sílaba tônica pela etimologia, isto é, pela sua origem; mas, na sucessão de vocábulos, deixa de prevalecer o acento da palavra para entrar em cena o *acento da oração* ou *oracional* ou *frásico*, pertencente a cada *grupo de força*.

Chama-se *grupo de força* à sucessão de dois ou mais vocábulos que constituem um conjunto fonético subordinado a um acento tônico predominante.

A distribuição dos grupos de força e a alternância de sílabas proferidas mais rápidas ou mais demoradas, mais fracas ou mais fortes, conforme o que temos em mente expressar, determinam certa cadência do contexto à qual chamamos *ritmo*. *Prosa* e *verso* possuem ritmo. No verso o ritmo é essencial e específico; na prosa apresenta-se livre, variando pela iniciativa de quem fala ou escreve.

Vocábulos tônicos e átonos: os clíticos

Nestes grupos de força certos vocábulos perdem seu acento próprio para unir-se a outro que os segue ou que os precede. Dizemos que tais vocábulos são *clíticos* (que se inclinam) ou *átonos* (porque se acham destituídos de seu acento vocabular). Aquele vocábulo que, no grupo de força, mantém sua individualidade fonética é chamado *tônico*. Ao conjunto se dá o nome de *vocábulo fonético*: *o rei* /urrey/; *deve estar* /devistar/.

Os clíticos, em geral monossílabos, se dizem *proclíticos* se precedem o vocábulo tônico a que se incorporam para constituir o grupo de força: *o rei* / / *ele disse* /.

E se dizem *enclíticos* se vêm depois do vocábulo tônico: *disse-me* / / *ei-lo* /.

Os vocábulos átonos proclíticos, perdendo seu acento próprio para se subordinarem ao do tônico seguinte, resistem menos à pressa com que são proferidos, e acabam por sofrer reduções na sua extensão fonética. Dentre os numerosos exemplos de próclise lembraremos aqui:
   a) a passagem de hiato a ditongo, em virtude de uma vogal passar a semivogal (sinérese):
      "E à noite, quando o céu é puro e limpo,
      Teu chão tinges de azul — *tuas* ondas correm." [GD]
   b) O desaparecimento da vogal da primeira sílaba de um dissílabo; para > pra: Isto é *pra* mim.

c) O desaparecimento da sílaba final de um dissílabo: *cento > cem*: *cem* páginas; *santo > são: São João.*
d) outras reduções como *senhor > seu*: *seu* João, *está > tá* (coloquial).

Silabada é o erro de prosódia que consiste na deslocação do acento tônico de uma palavra. Ignorar qual é a sílaba tônica de uma palavra, diz Gonçalves Viana, é ficar na impossibilidade de proferi-la.

Numerosas palavras existem que oferecem dúvidas quanto à posição da sílaba tônica.

São oxítonas:

aloés	Gulbenkian	recém
cateter	masseter	refém
Cister	mister (ser mister = ser necessário)	ruim
harém	Nobel	sutil
Gibraltar	novel	ureter

São paroxítonas:

acórdão	barbaria	Epifania (Festa dos Reis Magos)
alanos	batavo	Epiteto (cf. epíteto)
alcácer, alcáçar	berbere	erudito
Alcmena	cânon	esquilo (cf. Ésquilo)
algaravia	caracteres	estalido
âmbar	cartomancia	Eufrates
ambrosia (alimento)	cenobita	exegese
Andronico	ciclope	êxul
Antioquia	Ciropedia	filantropo
arcediago	clímax	flébil
arrátel	cromossomo	fluido (*ui* ditongo)
avaro	decano	fórceps (tb. fórcipe)
avito	dúctil	fortuito (*ui* ditongo)
aziago	edito (lei, decreto)	Ganimedes
azimute	efebo	

São proparoxítonas (incluindo-se os vocábulos terminados por ditongo crescente):

acônito	antídoto	brâmane
ádvena	antífona	cáfila
aeródromo	antífrase	cânhamo
aerólito	antístrofe	Cárpatos
ágape	ápode	cáspite
álacre	áptero	centímano
álcali	areópago	cérbero
álcool	aríete	cizânia
alcíone	arquétipo	Cleópatra
alcoólatra	assédio	condômino
álibi (tb. lat. *alibi*)	autóctone	cotilédone
alvíssaras	ávido	crástino
âmago	azáfama	crisântemo
amálgama	azêmola	Dâmocles
ambrósia (planta)	barbárie	década
anátema	bátega	díptero
Ândrocles	bávaro	écloga
andrógino	bígamo	édito (ordem judicial)
anélito	bímano	Éfeso
anêmona	boêmio (adj.)	égide
anódino	bólido (tb. bólide)	êmbolo

Palavras que admitem dupla prosódia

Ájax	ou	Ajax
acróbata	ou	acrobata
álea	ou	aleia
alópata	ou	alopata
anídrido	ou	anidrido
bênção	ou	benção

biópsia	ou	biopsia
boêmia (subst.)	ou	boemia (subst., Brasil)
Cloe (ó)	ou	Cloé
Dário	ou	Dario
Gândavo	ou	Gandavo
geodésia	ou	geodesia
hieróglifo	ou	hieroglifo
homília	ou	homilia
Madagáscar	ou	Madagascar (mais geral)
nefelíbata	ou	nefelibata
Oceânia	ou	Oceania
ômega	ou	omega
ônagro	ou	onagro
ortoépia	ou	ortoepia
oxímoro	ou	oximoro
projétil	ou	projetil
réptil	ou	reptil
reseda (ê)	ou	resedá
sóror	ou	soror
zângão	ou	zangão
zênite	ou	zenite

Capítulo 27
Ortografia

Conceito e princípios norteadores

Ortografia é um sistema oficial convencional pelo qual se representa na escrita uma língua.

Em geral, nas línguas modernas, o sistema de grafia oficial regula-se por princípios gerais que procuram, além do uso, estabelecer razoável compromisso entre a *pronúncia* e a *etimologia*, isto é, a tradição oral e a origem e história das palavras.

Na ortografia do Português, usa-se o sistema *misto*. Assim, *hoje* se escreve com *h-* inicial, porque procede do advérbio latino *hodie*, e *farmácia* com *f-* inicial e não *ph* (*pharmacia*), porque o *ph-* grego se pronuncia como /f/. Por este sistema ficamos habilitados a distinguir homófonos (isto é, palavras que se pronunciam da mesma forma, como, por exemplo, *chá* e *xá*; *passo* e *paço*; *seção*, *sessão* e *cessão*). Todas as línguas de cultura usam dessas grafias para distinguir as palavras de significados diferentes. Tais distinções gráficas só não alcançam as palavras ditas *convergentes*, isto é, aquelas que, de origens diferentes, apresentam um mesmo resultado fonético como homônimos: *são*, procedente do latim *sanu-* 'sadio', da próclise de *santo* (São João) e da terceira pessoa do plural do verbo *sunt*. É o que ocorre com as diversas origens de *manga*.

O sistema ortográfico oficial praticado no Brasil é o que foi estabelecido nas Bases do novo Acordo Ortográfico da Língua Portuguesa, aprovado em 1990, em Lisboa, pela Academia das Ciências de Lisboa, Academia Brasileira de Letras e delegações de Angola, Cabo Verde, Guiné-Bissau, Moçambique, São Tomé e Príncipe, com a adesão da delegação de observadores da Galiza (sendo posteriormente autorizada pela CPLP a adesão do Timor-Leste).

Ortografia única não significa pronúncia única; cada país continuará a seguir seus hábitos fixados pela tradição histórica.

Sistema ortográfico vigente no Brasil

O alfabeto da língua portuguesa é formado por 26 letras, cada uma delas com uma forma minúscula e outra maiúscula:

a A (á)	j J (jota)	s S (esse)
b B (bê)	k K (capa ou cá)	t T (tê)
c C (cê)	l L (ele)	u U (u)
d D (dê)	m M (eme)	v V (vê)
e E (é ou ê)	n N (ene)	w W (dáblio)
f F (efe)	o O (ó)	x X (xis)
g G (gê ou guê)	p P (pê)	y Y (ípsilon)
h H (agá)	q Q (quê)	z Z (zê)
i I (i)	r R (erre)	

Os nomes de letras sugeridos aqui não excluem outras formas de as designar.

Observações:

▶ Além dessas letras, usam-se o ç (cê-cedilhado ou cê-cedilha) e os seguintes dígrafos: *rr* (erre duplo), *ss* (esse duplo), *ch* (cê-agá), *lh* (ele-agá), *nh* (ene-agá), *gu* (guê-u), *qu* (quê-u), *sc* (esse-cê), *sç* (esse-cê-cedilha), *xc* (xis-cê), *xs* (xis-esse).

▶ Escrevem-se *rr* e *ss* quando, entre vogais, representam os sons simples de *r* e *s* iniciais; e *cc* ou *cç* quando o primeiro soa distintamente do segundo: *carro, farra, massa, passo; convicção, occipital*, etc.
   Duplica-se o *r* e o *s* todas as vezes que a um elemento terminado em vogal se segue, sem interposição do hífen, palavra começada por uma daquelas letras: *albirrosado, arritmia, altíssono, derrogar, prerrogativa, pressentir, ressentimento, sacrossanto*, etc.

▶ Os nomes das letras aqui adotados não excluem outras formas de as designar.

Acentuação gráfica

A - *Monossílabos ditos tônicos*

Levam acento agudo ou circunflexo os monossílabos terminados em:
   a) -a, -as: *já, lá, vás*;
   b) -e, -es: *fé, lê, pés*;
   c) -o, -os: *pó, dó, pós, sós*.

B - Vocábulos de mais de uma sílaba

1) OXÍTONOS (ou agudos)
Levam acento agudo ou circunflexo os oxítonos terminados em:
a) -a, -as: *cajás, vatapá, ananás, carajás*;
b) -e, -es: *você, café, pontapés;*
c) -o, -os: *cipó, jiló, avô, carijós*;
d) -em, -ens: *também, ninguém, vinténs, armazéns.*
Daí sem acento: *aqui, caqui, poti, caju, urubus.*

2) PAROXÍTONOS (ou graves)
Levam acento agudo ou circunflexo os paroxítonos terminados em:
a) -i, -is: *júri, cáqui, beribéri, lápis, tênis*;
b) -us: *vênus, vírus, bônus*;
c) -r: *caráter, revólver, éter*;
d) -l: *útil, amável, nível, têxtil* (não *téxtil*);
e) -x: *tórax, fênix, ônix*;
f) -n: *éden, hífen* (mas: *edens, hifens*, sem acento);
g) -um, -uns: *álbum, álbuns, médium*;
h) -ão, -ãos: *órgão, órfão, órgãos, órfãos*;
i) -ã, -ãs: *órfã, imã, órfãs, imãs*;
j) -ps: *bíceps, fórceps*;
k) -on(s): *rádon, rádons.*

Observação:

⇒ Devem ser acentuados os nomes técnicos terminados em *-om*: *iândom, rádom* (variante de *rádon*).

3) PROPAROXÍTONOS (ou esdrúxulos)
Levam acento agudo ou circunflexo todos os proparoxítonos: *cálido, tépido, cátedra, sólido, límpido, cômodo.*

C - Casos especiais

a) São sempre acentuadas as palavras oxítonas com os ditongos abertos grafados *-éis, -éu(s)* ou *-ói(s)*: *anéis, batéis, fiéis, papéis; céu(s), chapéu(s), ilhéu(s), véu(s); corrói(s)* (flexão de *corroer*), *heróis(s), remói(s)* (flexão de *remoer*), *sói(s)* (flexão de *soer*), *sóis* (pl. de *sol*).

b) Não são acentuadas as palavras paroxítonas com os ditongos abertos -*ei* e -*oi*, uma vez que existe oscilação em muitos casos entre a pronúncia aberta e fechada: *assembleia, boleia, ideia*, tal como *aldeia, baleia, cadeia, cheia, meia; coreico, epopeico, onomatopeico, proteico; alcaloide, apoio* (do verbo *apoiar*), tal como *apoio* (substantivo), *Azoia, boia, boina, comboio* (substantivo), tal como *comboio, comboias*, etc. (do verbo *comboiar*), *dezoito, estroina, heroico, introito, jiboia, moina, paranoico, zoina*.

Observação:

▶ Receberá acento gráfico a palavra que, mesmo incluída neste caso, se enquadrar em regra geral de acentuação, como ocorre com *blêizer, contêiner, destróier, gêiser, Méier*, etc., porque são paroxítonas terminadas em -*r*.

c) Não se acentuam os encontros vocálicos fechados: *pessoa, patroa, coroa, boa, canoa; teu, judeu, camafeu; voo, enjoo, perdoo, coroo*.

Observação:

▶ Será acentuada a palavra que, mesmo incluída neste caso, se enquadrar em regra geral de acentuação gráfica, como ocorre com *herôon* (Br.) / *heróon* (Port.), paroxítona terminada em -*n*.

d) Não levam acento gráfico as palavras paroxítonas que, tendo respectivamente vogal tônica aberta ou fechada, são homógrafas de artigos, contrações, preposições e conjunções átonas. Assim, não se distinguem pelo acento gráfico: *para* (á) [flexão de *parar*] e *para* [preposição]; *pela(s)* (é) [substantivo e flexão de *pelar*] e *pela(s)* [combinação de *per* e *la(s)*]; *pelo* (é) [flexão de *pelar*] e *pelo(s)* (ê) [substantivo e combinação de *per* e *lo(s)*]; *pera* (ê) [substantivo] e *pera* (é) [preposição antiga]; *polo(s)* (ó) [substantivo] e *polo(s)* [combinação antiga e popular de *por* e *lo(s)*]; etc.

Observação:

▶ Seguindo esta regra, também perde o acento gráfico a forma *para* (do verbo *parar*) quando entra num composto separado por hífen: *para-balas, para-brisa(s), para-choque(s), para-lama(s)*, etc.

e) Levam acento agudo o *i* e *u* quando representam a segunda vogal tônica de um hiato, desde que não formem sílaba com *r, l, m, n, z* ou não estejam seguidos de *nh*: *saúde, viúva, saída, caído, faísca, aí, Grajaú; raiz* (mas *raízes*), *paul, ruim, ruins, rainha, moinho*.

f) Não leva acento a vogal tônica dos ditongos *iu* e *ui*: *caiu, retribuiu, tafuis, pauis*.

g) Não são acentuadas as vogais tônicas *i* e *u* das palavras **paroxítonas** quando estas vogais estiverem precedidas de ditongo decrescente: *baiuca, bocaiuva, boiuno, cauila* (var. *cauira*), *cheiinho* (de *cheio*), *feiinho* (de *feio*), *feiura, feiudo, maoismo, maoista, saiinha* (de *saia*), *taoismo, tauismo*.

Observações:

▶ Na palavra **eoípo** (= denominação dos primeiros ancestrais dos cavalos), a pronúncia normal assinala hiato (e-o), razão por que tem acento gráfico.

▶ A palavra paroxítona *guaíba* não perde o acento agudo porque a vogal tônica *i* está precedida de ditongo crescente.

h) Serão acentuadas as vogais tônicas *i* e *u* das palavras **oxítonas** quando mesmo precedidas de ditongo decrescente estão em posição final, sozinhas na sílaba, ou seguidas de *s*: *Piauí, teiú, teiús, tuiuiú, tuiuiús*.

Observação:

▶ Se, neste caso, a consoante final for diferente de *s*, tais vogais **não serão acentuadas**: *cauim, cauins*.

i) Grafa-se a 3.ª pessoa de alguns verbos da seguinte maneira:
1) quando termina em *-em* (monossílabos):

3.ª pess. sing.	3.ª pess. pl.
-em	-êm
ele tem	*eles têm*
ele vem	*eles vêm*

2) quando termina em *-ém*:

3.ª pess. sing.	3.ª pess. pl.
-ém	-êm
ele contém	*eles contêm*
ele convém	*eles convêm*

3) quando termina em -ê (crê, dê, lê, vê e derivados):

3.ª pess. sing	3.ª pess. pl.
-ê	-eem
ele crê	*eles creem*
ele revê	*eles reveem*

j) Levam acento agudo ou circunflexo os vocábulos terminados por ditongo oral átono, quer decrescente ou crescente: *ágeis, devêreis, jóquei, túneis, área, espontâneo, ignorância, imundície, lírio, mágoa, régua, tênue.*

k) Leva acento agudo ou circunflexo a forma verbal terminada em *a, e, o* tônicos, seguida de *lo, la, los, las: fá-lo, fá-los, movê-lo-ia, sabê-lo-emos, trá-lo-ás.*

Observação:

➥ Pelo último exemplo, vemos que se o verbo estiver no futuro poderá haver dois acentos: *amá-lo-íeis, pô-lo-ás, fá-lo-íamos.*

l) Também leva acento agudo a vogal tônica *i* das formas verbais **oxítonas** terminadas em *-air* e *-uir*, quando seguidas de *-lo(s), -la(s)*, caso em que perdem o *r* final, como em: *atraí-lo(s)* [de *atrair-lo(s)*]; *atraí-lo(s)-ia* [de *atrair-lo(s)-ia*]; *possuí-la(s)* [de *possuir-la(s)*]; *possuí-la(s)-ia* [de *possuir-la(s)-ia*].

Observação:

➥ Tradicionalmente na imprensa, as formas paroxítonas e oxítonas com duplicação da vogal *i* são grafadas sem acento gráfico: *xiita, tapiira, tapii.*

m) Não levam acento os prefixos paroxítonos terminados em *-r* e *-i: inter-helênico, super-homem, semi-histórico.*

Observações:

➥ Os verbos ARGUIR e REDARGUIR não levam acento agudo na vogal tônica *u* nas formas rizotônicas (aquelas cuja sílaba tônica está no radical): *arguo, arguis, argui, arguem; argua, arguas*, etc.

▶ Os verbos do tipo de *AGUAR, APANIGUAR, APAZIGUAR, APROPINQUAR, AVERIGUAR, DESAGUAR, ENXAGUAR, OBLIQUAR, DELINQUIR* e afins podem ser conjugados de duas formas: ou têm as formas rizotônicas (cuja sílaba tônica recai no radical) com o *u* do radical tônico, mas sem acento agudo; ou têm as formas rizotônicas com *a* ou *i* do radical com acento agudo: averiguo (ou averíguo), averiguas (ou averíguas), averigua (ou averígua), etc.; averigue (ou averígue), averigues (ou averígues), etc.; delinquo (ou delínquo), delinques (ou delínques), etc.; delinqua (ou delínqua), delinquas (ou delínquas), etc.

▶ O verbo *delinquir*, tradicionalmente dado como defectivo (ou seja, verbo que não é conjugado em todas as pessoas), é tratado como verbo que tem todas as suas formas. O Acordo também aceita duas possibilidades de pronúncia, quando a tradição padrão brasileira na gramática para este verbo só aceitava sua conjugação nas formas arrizotônicas.

▶ Em conexão com os casos citados acima, é importante mencionar que os verbos em *-ingir* (*atingir, cingir, constringir, infringir, tingir*, etc.) e os verbos em *-inguir* sem a pronúncia do *u* (*distinguir, extinguir*, etc.) têm grafias absolutamente regulares (*atinjo, atinja, atinge, atingimos*, etc.; *distingo, distinga, distingue, distinguimos*, etc.).

n) Não leva trema o *u* dos grupos *gue, gui, que, qui*, mesmo quando for pronunciado e átono: *aguentar, arguição, eloquência, frequência, tranquilo*.

o) Leva acento circunflexo diferencial a sílaba tônica da 3.ª pess. do sing. do pretérito perfeito *pôde*, para distinguir-se de *pode*, forma da mesma pessoa do presente do indicativo.

p) Não se usa acento gráfico para distinguir as palavras oxítonas homógrafas (que possuem a mesma grafia), mas heterofônicas (pronunciadas de formas diferentes), do tipo de *cor* (ô) (substantivo) e *cor* (ó) (elemento da locução *de cor*); *colher* (ê) (verbo) e *colher* (é) (substantivo).

Observação:

▶ A forma verbal *pôr* continuará a ser grafada com acento circunflexo para se distinguir da preposição átona *por*.

q) Não é acentuada nem recebe apóstrofo a forma monossilábica *pra*, redução de *para*. Ou seja, são **incorretas** as grafias *prá* e *p'ra*.

r) Pode ser ou não acentuada a palavra *fôrma* (substantivo), distinta de *forma* (substantivo; 3.ª pessoa do singular do presente do indicativo ou 2.ª pessoa do singular do imperativo do verbo *formar*). A grafia *fôrma* (com acento gráfico) deve ser usada apenas nos casos em que houver ambiguidade, como nos versos do poema "Os sapos": "Reduzi sem danos/ A fôrmas a forma." [MB]

O emprego do acento grave

Emprega-se o acento grave nos casos de crase. Para este assunto, ver a página 90 e seguintes.

a) Na contração da preposição *a* com as formas femininas do artigo ou pronome demonstrativo *a*: *à* (de *a* + *a*), *às* (de *a* + *as*): *Entregou o livro à criança.* (preposição *a* + artigo definido *a*) / *Não me refiro a sua carta, mas à de Mariana.* (preposição *a* + pronome demonstrativo *a*).

b) Na contração da preposição *a* com o *a* inicial dos demonstrativos *aquele, aquela, aqueles, aquelas* e *aquilo* ou ainda da mesma preposição com os compostos *aqueloutro* e suas flexões: *àquele(s), àquela(s), àquilo; àqueloutro(s), àqueloutra(s)*.

c) Na contração da preposição *a* com os pronomes relativos *a qual, as quais*: *à qual, às quais*.

O trema

O trema não é usado em palavras portuguesas ou aportuguesadas.

Observações:

▶ O trema ocorre em palavras derivadas de nomes próprios estrangeiros que o possuem: *hübneriano*, de *Hübner*; *mülleriano*, de *Müller*, etc.

▶ O trema poderá ser usado para indicar, quando for necessário, a pronúncia do *u* em vocabulários ortográficos e dicionários: *lingueta* (güi), *líquido* (qüi ou qui), *linguiça* (güi), *equidistante* (qüi ou qui).

▶ Com o fim do trema em palavras portuguesas ou aportuguesadas, não houve modificação na pronúncia dessas palavras.

O hífen

A – Nos compostos:

1.º) Emprega-se o hífen nos compostos sem elemento de ligação quando o 1.º termo, por extenso ou reduzido, está representado por forma substantiva, adjetiva, numeral ou verbal: *ano-luz, arco-íris*.

Observações:

➥ As formas empregadas adjetivamente do tipo *afro-, anglo-, euro-, franco-, indo-, luso-, sino-* e assemelhadas continuarão a ser grafadas **sem hífen** em empregos em que só há uma etnia: *afrodescendente, anglofalante, anglomania, eurocêntrico, eurodeputado, lusofonia, sinologia*, etc. Porém escreve-se com hífen quando houver mais de uma etnia: *afro-brasileiro, anglo-saxão, euro-asiático*, etc.

➥ Com o passar do tempo, alguns compostos perderam a noção de composição e passaram a se escrever aglutinadamente, como é o caso de: *girassol, madressilva, pontapé*, etc. Já se escrevem aglutinados: *paraquedas, paraquedistas* (e afins, *paraquedismo, paraquedístico*) e *mandachuva*.

➥ Os outros compostos com a forma verbal *para-* seguirão sendo separados por hífen conforme a tradição lexicográfica: *para-brisa(s), para-choque, para-lama(s)*, etc.

➥ Os outros compostos com a forma verbal *manda-* seguirão sendo separados por hífen conforme a tradição lexicográfica: *manda-lua, manda-tudo*.

➥ A tradição ortográfica também usa o hífen em outras combinações vocabulares: *abaixo-assinado, assim-assim, ave-maria, salve-rainha*.

➥ Os compostos formados com elementos repetidos, com ou sem alternância vocálica ou consonântica, por serem compostos representados por formas substantivas sem elemento de ligação, ficarão: *blá-blá-blá, lenga-lenga, reco-reco, tico-tico, zum-zum-zum, pingue-pongue, tique-taque, trouxe-mouxe, xique-xique* (= chocalho; cf. *xiquexique* = planta), *zás-trás, zigue-zague*, etc. Os derivados, entretanto, não serão hifenizados: *lengalengar, ronronar, zunzunar*, etc.

➥ Não se separam por hífen as palavras com sílaba reduplicativa oriundas da linguagem infantil: *babá, titio, vovó, xixi*, etc.

2.º) Emprega-se o hífen nos compostos sem elemento de ligação quando o 1.º elemento está representado pelas formas *além, aquém, recém, bem* e *sem*: *além--Atlântico, aquém-Pireneus, recém-casado, bem-vindo, sem-cerimônia*.

Observação:

➦ Em muitos compostos o advérbio *bem* aparece aglutinado ao segundo elemento, quer este tenha ou não vida à parte quando o significado dos termos é alterado: *bendito* (= abençoado), *benfazejo, benfeito* [subst.] (= benefício); cf. *bem-feito* [adj.] = feito com capricho, harmonioso, e *bem feito!* [interj.], *benfeitor, benquerença* e afins: *benfazer, benfeitoria, benquerer, benquisto, benquistar*.

3.º) Emprega-se o hífen nos compostos sem elemento de ligação quando o 1.º elemento está representado pela forma *mal* e o 2.º elemento começa por *vogal, h* ou *l*: *mal-afortunado, mal-entendido, mal-estar, mal-humorado, mal-informado, mal-limpo*. Porém: *malcriado, malvisto*, etc.

Observação:

➦ *Mal* com o significado de 'doença' grafa-se com hífen: *mal-caduco* (= epilepsia), *mal-francês* (= sífilis), desde que não haja elemento de ligação. Se houver, não se usará hífen: *mal de Alzheimer*.

4.º) Emprega-se o hífen nos nomes geográficos compostos pelas formas *grã, grão*, ou por forma verbal ou, ainda, naqueles ligados por artigo: *Grã-Bretanha, Abre-Campo, Baía de Todos-os-Santos*.

Observações:

➦ Serão hifenizados os adjetivos gentílicos (ou seja, adjetivos que se referem ao lugar onde se nasce) derivados de nomes geográficos compostos que contenham ou não elementos de ligação: *belo-horizontino, mato-grossense-do-sul, juiz-forano, cruzeirense-do-sul, alto--rio-docense*.

➦ Escreve-se com hífen *indo-chinês*, quando se referir à Índia e à China, ou aos indianos e chineses, diferentemente de *indochinês* (sem hífen), que se refere à Indochina.

5.º) Emprega-se o hífen nos compostos que designam espécies botânicas (planta e fruto) e zoológicas, estejam ou não ligadas por preposição ou qualquer outro elemento: *abóbora-menina, andorinha-do-mar, andorinha-grande, bem-me-quer* (mas *malmequer*).

Observação:

▬▶ Os compostos que designam espécies botânicas e zoológicas grafados com hífen pela norma acima não serão hifenizados quando tiverem aplicação diferente dessas espécies. Por exemplo: não-me-toques (com hífen), quando se refere a certas espécies de plantas, e não me toques (sem hífen) com o significado de 'melindres'.

B – Nas locuções:

Não se emprega o hífen nas locuções, sejam elas substantivas, adjetivas, pronominais, adverbiais, prepositivas ou conjuncionais, salvo algumas exceções já consagradas pelo uso (como é o caso de *água-de-colônia, arco-da-velha, cor-de-rosa, mais-que-perfeito, pé-de-meia, ao deus-dará, à queima-roupa*). Vale lembrar que, se na locução há algum elemento que já tenha hífen, será conservado este sinal: *à trouxe-mouxe, cara de mamão-macho, bem-te-vi de igreja*.

Observações:

▬▶ Expressões com valor de substantivo, do tipo *deus nos acuda, salve-se quem puder, um faz de contas, um disse me disse, um maria vai com as outras, bumba meu boi, tomara que caia, aqui del rei*, devem ser grafadas sem hífen. Da mesma forma serão usadas sem hífen locuções como: *à toa* (adjetivo e advérbio), *dia a dia* (substantivo e advérbio), *arco e flecha, calcanhar de aquiles, comum de dois, general de divisão, tão somente, ponto e vírgula*.

▬▶ Não se emprega o hífen nas locuções latinas usadas como tais, não substantivadas ou aportuguesadas: *ab initio, ab ovo, ad immortalitatem, ad hoc, data venia, de cujus, carpe diem, causa mortis, habeas corpus, in octavo, pari passu, ex libris*. Mas: o *ex-libris*, o *habeas-corpus, in-oitavo*, etc.

C – Nas sequências de palavras:

Emprega-se o hífen para ligar duas ou mais palavras que ocasionalmente se combinam, formando não propriamente vocábulos, mas encadeamentos vocabulares, tipo: a divisa *Liberdade-Igualdade-Fraternidade*, a ponte *Rio-Niterói* e nas combinações históricas ou até mesmo ocasionais de topônimos, tipo: *Áustria-Hungria*, *Alsácia-Lorena*, *Angola-Brasil*, *Tóquio-Rio de Janeiro*, etc.

D – Nas formações com prefixos:

1.º) Emprega-se o hífen quando o 1.º elemento termina por vogal igual à que inicia o 2.º elemento: *anti-infeccioso, anti-inflamatório, contra-almirante, eletro-ótica*.

Observações:

▶ Incluem-se neste princípio geral todos os prefixos terminados por vogal: *agro-* (= terra), *albi-, alfa, ante-, anti-, ântero-, arqui-, áudio-, auto-, bi-, beta-, bio-, contra-, eletro-, euro-, ínfero-, infra-, íntero-, isso-, macro-, mega-, multi-, poli-, póstero-, pseudo-, súpero-, neuro-, orto-, sócio-*, etc.
Então, se o 1.º elemento terminar por vogal diferente daquela que inicia o 2.º elemento, escreve-se junto, sem hífen: *anteaurora, antiaéreo, aeroespacial, agroindustrial*.

▶ Nas formações com os prefixos *co-, pro-, pre-* e *re-*, estes unem-se ao segundo elemento, mesmo quando iniciado por *o* ou *e*: *coabitar, coautor, coedição, coerdeiro; proativo* (ou *pró-ativo*), *procônsul, propor; preeleito* (ou *pré-eleito*), *preembrião* (ou *pré-embrião*), *preeminência, preenchido; reedição, reedificar, reeducação, reelaborar, reeleição*.

2.º) Emprega-se o hífen quando o 1.º elemento termina por consoante igual à que inicia o 2.º elemento: *ad-digital, inter-racial, sub-base, super-revista*, etc.

Observação:

▶ Formas como *abbevilliano, addisoniano, addisonismo, addisonista* se prendem a nomes próprios estrangeiros: *Abbeville, Addison*.

3.º) Emprega-se o hífen quando o 1.º elemento termina acentuado graficamente, *pós-, pré-, pró-*: *pós-graduação, pós-tônico; pré-datado, pré-escolar; pró-africano, pró-europeu*.

Observação:

▶ Pode haver, em certos usos, alternância entre *pre-* e *pré-*, *pos-* e *pós-*; neste último caso, deve-se usar o hífen: *preesclerótico / pré-esclerótico, preesclerose / pré-esclerose, preeleito / pré-eleito, prerrequisito / pré-requisito; postônico / pós-tônico.*

4.º) Emprega-se o hífen quando o 1.º elemento termina por *m* ou *n* e o 2.º elemento começa por *vogal, h, m* ou *n*: *circum-escolar, circum-hospitalar, circum-murado, circum-navegação, pan-africano, pan-harmônico, pan-mágico, pan-negritude.*

5.º) Emprega-se o hífen quando o 1.º elemento é um dos seguintes prefixos que indicam anterioridade ou cessação: *ex-, sota-, soto-, vice-, vizo-*: *ex-almirante, ex-diretor, ex-presidente; sota-almirante, sota-capitão; soto-almirante; vice-presidente, vice-reitor; vizo-rei.*

Observação:

▶ Em *sotavento* e *sotopor*, os prefixos não têm o mesmo significado de *vice-, vizo-*, daí não se enquadrarem na regra anterior.

6.º) Emprega-se o hífen quando o 1.º elemento termina por *vogal, r* ou *b* e o 2.º elemento se inicia por *h*: *anti-herói, hiper-hidrose, sub-humano.*

Observações:

▶ Nos casos em que não houver perda do som da vogal final do 1.º elemento, e o elemento seguinte começar com *h*, serão usadas as duas formas gráficas: *carbo-hidrato* e *carboidrato; zoo-hematina* e *zooematina*. Já quando houver perda do som da vogal final do 1.º elemento, consideraremos que a grafia consagrada deve ser mantida: *cloridrato, cloridria, clorídrico, quinidrona, sulfidrila, xilarmônica, xilarmônico.*

Devem ficar como estão as palavras que, fugindo a este princípio, já são de uso consagrado, como *reidratar, reumanizar, reabituar, reabitar, reabilitar* e *reaver*.

▶ Não se emprega o hífen com os prefixos *des-* e *in-* quando o 2.º elemento perde o *h* inicial: *desumano, inábil, inumano,* etc.

➡ Embora não tratado no Acordo, pode-se incluir neste caso o prefixo *an-* (p.ex.: *anistórico, anepático, anidrido*). Na sua forma reduzida *a-*, quando seguido de *h*, a tradição manda hifenizar e conservar o *h* (p.ex.: *a-histórico, a-historicidade*).

➡ Não se emprega o hífen com as palavras *não* e *quase* com função prefixal: *não agressão, não fumante; quase delito, quase equilíbrio*, etc.

7.º) Emprega-se o hífen quando o 1.º elemento termina por *b* (*ab-, ob-, sob-, sub-*) ou *d* (*ad-*) e o 2.º elemento começa por *r*: *ab-rupto, ob-rogar, sob-roda, sub-rogar*.

Observação:

➡ *Adrenalina, adrenalite* e afins já são exceções consagradas pelo uso. *Ab-rupto* é preferível a *abrupto*, mas ambos são possíveis, e o último até mais corrente, facilitando a pronúncia com o grupo consonantal /a-brup-to/.

8.º) Quando o 1.º elemento termina por vogal e o 2.º elemento começa por *r* ou *s*, não se usa hífen, e estas consoantes devem duplicar-se: *antessala, antirreligioso, autorregulamentação, biorritmo*.

Observação:

➡ Excepcionalmente, para garantir a integridade do nome próprio usado como tal, recomenda-se a grafia com hífen em casos como *anti-Stalin, anti-Iraque, anti-Estados Unidos*, usos frequentes na imprensa, mas não lembrados no texto do Acordo. As formas derivadas seguem a regra dos prefixos, como em: *antistalinismo / antiestalinismo, desestalinização*.

E – Nas formações com sufixo:

Emprega-se hífen apenas nas palavras terminadas por sufixos de origem tupi-guarani que representam formas adjetivas, como *-açu* (= grande), *-guaçu* (= grande), *-mirim* (= pequeno), quando o 1.º elemento termina por vogal acentuada graficamente ou quando a pronúncia exige a distinção gráfica dos dois elementos: *amoré-guaçu, anajá-mirim, andá-açu, capim-açu, Ceará-Mirim*. Por isso, sem hífen: *Mojiguaçu, Mojimirim*.

F – O hífen nos casos de ênclise, mesóclise (tmese) e com o verbo haver:

1.º) Emprega-se o hífen na ênclise e na mesóclise: *amá-lo, dá-se, deixa-o, partir--lhe; amá-lo-ei, enviar-lhe-emos.*

2.º) Não se emprega o hífen nas ligações da preposição *de* às formas monossilábicas do presente do indicativo do verbo *haver*: *hei de, hás de, hão de*, etc.

Observações:

▶ Embora estejam consagradas pelo uso as formas verbais *quer* e *requer*, dos verbos *querer* e *requerer*, ao lado de *quere* e *requere*, estas últimas formas conservam-se, no entanto, nos casos de ênclise: *quere--o(s), requere-o(s).*

▶ Usa-se também o hífen nas ligações de formas pronominais enclíticas ao advérbio *eis* (*eis-me, ei-lo*) e ainda nas combinações de formas pronominais do tipo *no-lo* (nos + [l]o), *no-las* (nos + [l]as), quando em próclise ao verbo (p. ex.: *Esperamos* que no-lo comprem).

O apóstrofo

São os seguintes os casos de emprego do apóstrofo:

A — Para cindir graficamente uma contração ou aglutinação vocabular, quando um elemento ou fração respectiva pertence propriamente a um conjunto vocabular distinto: *d'Os Lusíadas, d'Os Sertões; n'Os Lusíadas.*

B — Para fazer uma contração ou aglutinação vocabular, quando um elemento ou fração respectiva é forma pronominal e se lhe quer dar realce com o uso da maiúscula: *d'Ele, n'Ele.*

C — Nas ligações das formas *santo* e *santa* a nomes do hagiológio, quando importa representar a elisão das vogais finais *o* e *a*: *Sant'Ana.*

D — Para assinalar, no interior de certas formações, a elisão do *e* da preposição *de*, em combinação com substantivos: *borda-d'água, cobra-d'água, copo-d'água.*

E — Para indicar a supressão de uma letra ou letras no verso, por exigência da metrificação: *c'roa, esp'rança.*

F — Para reproduzir certas pronúncias populares: *'tá, 'teve*, etc.

Observações:

⮕ Evite-se a repetição do artigo: *por O Globo* (em vez de *pelo O Globo*), *em A Ordem*, em vez de *na A Ordem*, etc.

⮕ Deve-se evitar a prática *dos Lusíadas, na Ordem* porque altera o título da obra ou da publicação.

⮕ Os tratados de ortografia, bem como alguns gramáticos modernos, têm condenado o emprego da combinação de preposição, especialmente *de*, com artigo, pronome e vocábulo iniciado por vogal pertencente a sujeito, em construções do tipo sintático *Está na hora da onça beber água; É tempo do inverno chegar*. Mas essas construções pertencem à tradição literária de todos os tempos, além de serem eufonicamente mais naturais. Por isso devem ser válidas as construções com ou sem a combinação referida.

Divisão silábica

A divisão de qualquer vocábulo, assinalada pelo hífen, em regra se faz pela soletração, e não pelos seus elementos constitutivos segundo a etimologia.

Na translineação (ou seja, na passagem para a linha seguinte quando se está escrevendo um texto) de uma palavra composta ou de uma combinação de palavras em que há um hífen, ou mais, se a partição coincide com o final de um dos elementos ou membros, por clareza gráfica, se deve repetir o hífen no início da linha seguinte: vice-
    -almirante.

Emprego das iniciais maiúsculas e minúsculas

Emprega-se letra inicial maiúscula:
    1.º) No começo do período, verso ou citação direta.

Observação:

⮕ Alguns poetas usam, à espanhola, a minúscula no princípio de cada verso, quando a pontuação o permite.

2.º) Nos substantivos próprios de qualquer espécie, bem como os cognomes e alcunhas.

Observações:

➡ As formas onomásticas que entram na formação de palavras do vocabulário comum escrevem-se com inicial minúscula quando se afastam de seu significado primitivo, excetuando-se os casos em que esse afastamento não ocorre: *joão-de-barro*; mas: *além-Brasil, doença de Chagas*.

➡ Os nomes de povos escrevem-se com inicial minúscula, não só quando designam habitantes ou naturais de um estado, província, cidade, vila ou distrito, ainda quando representam coletivamente uma nação: *amazonenses, suíços*.

➡ Os nomes comuns que acompanham os nomes próprios designativos de estados, províncias, cidades, etc. e de acidentes geográficos são escritos com minúsculas: *estado* do Rio de Janeiro; *rio* Parnaíba; a *baía* de Sepetiba; a *ilha* de São Luís.

3.º) Nos nomes próprios de eras históricas e épocas notáveis: *Idade Média, Quinhentos* (o século XVI).

Observação:

➡ Os nomes dos meses devem escrever-se com inicial minúscula.

4.º) Nos nomes de vias e lugares públicos: *Avenida Rio Branco, Largo da Carioca*.

5.º) Nos nomes que designam altos conceitos religiosos, políticos ou nacionalistas: *Igreja* (Católica, Apostólica, Romana), *Nação, Estado*.

Observação:

➡ Esses nomes se escrevem com inicial minúscula quando são empregados em sentido geral ou indeterminado.

6.º) Nos nomes que designam artes, ciências, ou disciplinas, bem como nos que sintetizam, em sentido elevado, as manifestações do engenho e do saber: *Agricultura, Arquitetura, Filologia Portuguesa, Direito, Medicina, Matemática, Pintura, Arte, Ciência, Cultura,* etc.

Observação:

▶ Os nomes *idioma, idioma pátrio, língua, língua portuguesa, vernáculo* e outros análogos escrevem-se com inicial maiúscula quando empregados com especial relevo.

7.º) Nos nomes que designam altos cargos, dignidades ou postos: *Papa, Cardeal, Presidente da República, Ministro da Educação, Embaixador, Secretário de Estado.*

8.º) Nos nomes de repartições, corporações ou agremiações, edifícios e estabelecimentos públicos ou particulares: *Diretoria-Geral do Ensino, Ministério das Relações Exteriores.*

9.º) Nos títulos de livros, jornais, revistas, produções artísticas, literárias e científicas: *Correio da Manhã, Revista Filológica.*

Observações:

▶ Não se escrevem com maiúscula inicial as partículas monossilábicas que se acham no interior de vocábulos compostos ou de locuções ou expressões que têm iniciais maiúsculas: *Queda do Império, O Crepúsculo dos Deuses.*

▶ Nos bibliônimos, após o primeiro elemento, que é com maiúscula, os demais vocábulos podem ser escritos com minúscula, salvo nos nomes próprios nele contidos, tudo em grifo: *Memórias póstumas de Brás Cubas.*

10.º) Nos nomes de fatos históricos e importantes, de atos solenes e de grandes empreendimentos públicos: *Centenário da Independência do Brasil, Descobrimento da América, Reforma Ortográfica.*

Observação:

▶ Os nomes de festas pagãs ou populares escrevem-se com inicial minúscula: *carnaval, entrudo.*

11.º) Nos nomes de escolas de qualquer espécie ou grau de ensino: *Faculdade de Filosofia, Escola Superior de Comércio, Colégio Pedro II.*

12.º) Nos nomes comuns, quando personificados ou individuados, e de seres morais ou fictícios: *A Capital da República, moro na Capital.*

13.º) Nos nomes dos pontos cardeais, ou equivalentes, quando designam regiões: *os povos do Oriente; o falar do Norte é diferente do falar do Sul; a guerra do Ocidente,* etc.

Observação:

⮕ Os nomes dos pontos cardeais escrevem-se com iniciais minúsculas quando designam direções ou limites geográficos: *Percorri o país de norte a sul e de leste a oeste.*

14.º) Nos nomes, adjetivos, pronomes e expressões de tratamento ou reverência: *D.* (Dom ou Dona), *Sr.* (Senhor).

Observação:

⮕ As formas que se acham ligadas a essas expressões de tratamento devem ser também escritas com iniciais maiúsculas: *D. Abade, Exma Sr.ª Diretora.*

15.º) Nas palavras que, no estilo epistolar, se dirigem a um amigo, a um colega, a uma pessoa respeitável, as quais, por deferência, consideração ou respeito, se queira realçar por esta maneira: *caro Colega, meu prezado Mestre, estimado Professor.*

Nomes próprios

1.º) Os nomes próprios personativos, locativos e de qualquer natureza estão sujeitos às mesmas regras estabelecidas para os nomes comuns.

2.º) Para salvaguardar direitos individuais, quem o quiser manterá em sua assinatura a forma consuetudinária.

Observação:

⇨ Não sendo o próprio que assine o nome com a grafia e a acentuação do modo como foi registrado, a indicação do seu nome obedecerá às regras estabelecidas pelo sistema ortográfico vigente para os nomes comuns: *Fundação Casa de Rui Barbosa* (o notável jurista baiano assinava *Ruy*).

3.º) Os topônimos de origem estrangeira devem ser usados com as formas vernáculas de uso vulgar; e quando não têm formas vernáculas, transcrevem-se consoante as normas estatuídas pela Conferência de Geografia de 1926.

4.º) Os topônimos de tradição histórica secular não sofrem alteração alguma na sua grafia, quando já esteja consagrada pelo consenso diuturno dos brasileiros.

Observação:

⇨ Os compostos e derivados desses topônimos obedecerão às normas gerais do vocabulário comum.

Sinais de pontuação: algumas particularidades

A. Aspas

De modo geral, usamos como aspas o sinal [" "]; mas pode haver, para empregos diferentes, as aspas simples [' ']. Nos trabalhos científicos sobre línguas, as aspas simples referem-se a significados ou sentidos: *amare* lat., 'amar' port. As aspas também são empregadas para abrir e fechar citações, indicar ironia, citar título de poema ou conto, dar a certa expressão sentido particular (na linguagem falada é em geral proferida com entoação especial), ressaltar uma expressão dentro do contexto ou para apontar uma palavra como estrangeirismo ou gíria.

Quando a pausa coincide com o final da expressão ou sentença que se acha entre aspas, coloca-se o competente sinal de pontuação depois delas, se encerram apenas uma parte da proposição; quando, porém, as aspas abrangem todo o período, sentença, frase ou expressão, a respectiva notação fica abrangida por elas.

B. Parênteses

Quando uma pausa coincide com o final da construção parentética, o respectivo sinal de pontuação deve ficar depois dos parênteses, mas, estando a proposição ou a frase inteira encerrada pelos parênteses, dentro deles se põe a competente notação.

C. Travessão

Não confundir o travessão com o traço de união ou hífen e com o traço de divisão empregado na partição de sílabas (*ab-so-lu-ta-men-te*) e de palavras no fim de linha. O travessão pode substituir vírgulas, parênteses, colchetes, dois-pontos, para assinalar uma expressão intercalada.

Usa-se simples se a intercalação termina o texto; em caso contrário, usa-se o travessão duplo.

Pode indicar ainda a mudança de interlocutor, na transcrição de um diálogo, com ou sem aspas.

D. Ponto final

Quando o período, oração ou frase termina por abreviatura, não se coloca o ponto final adiante do ponto abreviativo, pois este, quando coincide com aquele, tem dupla serventia. Exemplo: "O ponto abreviativo põe-se depois das palavras indicadas abreviadamente por suas iniciais ou por algumas das letras com que se representam, v.g.: *V. S.ª; Il.^{mo}; Ex.ª*; etc." [CR]

Asterisco

O asterisco (*) é colocado depois e em cima de uma palavra do trecho para se fazer uma citação ou comentário qualquer sobre o termo ou o que é tratado no trecho (neste caso o asterisco se põe no fim do período).

Emprega-se ainda um ou mais asteriscos depois de uma inicial para indicar uma pessoa cujo nome não se quer ou não se pode declinar: o Dr.*, B.**, L.***.

Em estudos de linguagem, o asterisco indica etimologia hipotética, ou, ainda, serve para assinalar palavra, expressão ou frase agramatical.

Apêndice I

Algumas normas para abreviaturas, símbolos e siglas usuais

Abreviatura é a forma convencional para, na escrita, representar parte da palavra como equivalente ao todo. Em geral, termina pelo ponto abreviativo. Distingue-se da *sigla* e do *símbolo*.

Sigla é a abreviatura formada pelas letras iniciais de expressões referidas a países, instituições, etc.: ABNT = Associação Brasileira de Normas Técnicas.

Símbolo é a abreviatura de nomenclaturas científicas internacionalmente adotadas: km = quilômetro(s).

Observação:

➡ A rigor, o símbolo difere da abreviatura, porque esta leva ponto. Assim km é o símbolo e km. é a abreviatura.

Algumas observações importantes sobre siglas e abreviaturas:

1.º) No caso de haver necessidade de abreviatura, recomenda-se que termine por consoante: fil. ou filos. para filosofia; gram. para gramática. Se a palavra contiver um grupo consonantal, dever-se-á mantê-lo: depr. para depreciativo.

2.º) O acento existente na palavra deve permanecer na abreviatura: pág. (página), fís. (física).

3.º) Usam-se abreviadamente os títulos Dr., Dr.ª, D. (Dom e Dona), S. (São, Santo, Santa).

Observação:

▶ Em documentos oficiais não se abrevia quando se dirige ao Presidente da República.

4.º) Os nomes dos estados são abreviados com duas letras apenas, ambas maiúsculas e sem ponto: PE (Pernambuco), RJ (Rio de Janeiro), SP (São Paulo), RS (Rio Grande do Sul), MT (Mato Grosso), MS (Mato Grosso do Sul).

5.º) Os nomes dos meses são abreviados com as três letras iniciais com o final em consoante e ponto, com exceção de agosto, que deve ser representado por ag., para não terminar em vogal. Maio não admite abreviação: jan., fev., mar., abr., maio, jun., jul., ag., set., out., nov., dez.

6.º) Os símbolos químicos são representados por uma ou por duas letras. No primeiro caso, usa-se de maiúscula; no segundo, a segunda letra é minúscula sem ponto: P (fósforo), Ag (prata), Ca (cálcio), Zn (zinco), etc.

7.º) Também sem ponto e sem plural são as abreviaturas do sistema métrico e unidades de tempo: 1km (quilômetro), 6km (quilômetros), 1h (hora), 5h (horas), 10h16min14s (horas, minutos, segundos), etc.

8º) Em geral não se separam por ponto as letras de muitas abreviaturas e siglas: ABNT, CEP, CPF.

9.º) Formam o plural com *s* as abreviaturas obtidas pela redução de palavras e as que representam títulos ou formas de tratamento: págs., sécs., Drs., V.Ex.ᵃˢ (Vossas Excelências).

10.º) Formam também o plural com *s* as siglas: dois PMs, vários CPFs, algumas TVs.

11.º) Em algumas abreviaturas o plural é indicado pela duplicação das letras: AA. (autores), EE. (editores).

Observação:

▶ Em alguns casos a duplicação marca o superlativo: D. (Digno), DD. (Digníssimo), MM. (Meritíssimo), SS. (Santíssimo), etc.

Apêndice 2
Grafia certa de certas palavras

1. **Abaixo / A baixo**
a) Abaixo
1) interjeição; grito de indignação ou reprovação.
2) advérbio = embaixo; em categoria inferior; depois.

b) A baixo – contrário a "dc alto".

2. **Abaixo-assinado / Abaixo assinado**
a) Abaixo-assinado – documento coletivo.
b) Abaixo assinado – que apôs, embaixo, a sua assinatura; que assinou um documento coletivo.

3. **Acerca de / Cerca de / A cerca de / Há cerca de**
a) Acerca de – a respeito de.
b) Cerca de – durante; aproximadamente.
c) A cerca de – ideia de distância.
d) Há cerca de – existe aproximadamente; aproximadamente no passado.

4. **Acima / A cima**
a) Acima
1) atrás.
2) em grau ou categoria superior.
3) em graduação superior a.
4) de preferência; em lugar superior; por cima; sobre.
5) de cima (interjeição).

b) A cima – contrário a "de baixo".

5. **Afim / A fim de**
a) Afim – semelhança; parentesco; afinidade.
b) A fim de – com o propósito de; com o objetivo de; com a finalidade de.

6. **Afora / A fora**
a) Afora – o mesmo que "fora"; à exceção de; exceto.
b) A fora – com a ideia de "para fora". Também se usa apenas *fora*.

7. **Aparte / À parte**
a) Aparte
1) verbo = separar.
2) substantivo = interrupção.
b) À parte – locução adverbial = de lado.

8. **Apedido / A pedido**
a) Apedido – substantivo = publicação especial em jornal.
b) A pedido – locução adverbial = rogo.

9. **À toa**
a) locução adjetiva = ordinário; desprezível; sem valor.
b) locução adverbial = ao acaso; sem rumo; sem razão.

10. **À vontade**
a) locução substantiva = informalidade; sem-cerimônia: *O à vontade com que ele fala com o grupo demonstra sua familiaridade com aquelas pessoas.*
b) locução adverbial = sem preocupação; livremente, sem cerimônia; à larga: *Comeu à vontade.*

11. **Bem-feito / Benfeito / Bem feito!**
a) Bem-feito – adjetivo = feito com capricho; elegante.
b) Benfeito – substantivo = benfeitoria.
c) Bem feito! – interjeição = expressa contentamento diante de algo negativo acontecido a alguém.

12. **Bem-posto / Bem posto**
a) Bem-posto – elegante.
b) Bem posto – posto corretamente.

13. **Boa-vida / Boa vida**
a) Boa-vida – pessoa que não tem o hábito de trabalhar e busca viver bem sem se esforçar; aquele que tem uma vida tranquila, sem preocupações.
b) Boa vida – vida tranquila; vida boa.

14. **Conquanto / Com quanto**
a) Conquanto – embora; se bem que; ainda que.
b) Com quanto – indica quantidade.

15. Contanto / Com tanto
a) Contanto – dado que; sob condição de que; uma vez que.
b) Com tanto – indica quantidade.

16. Contudo / Com tudo
a) Contudo – não obstante; porém; todavia.
b) Com tudo – preposição + pronome = total.

17. Dantes / De antes
a) Dantes – advérbio = antigamente.
b) De antes – preposição + advérbio = em tempo anterior.

18. Debaixo / De baixo
a) Debaixo
1) em situação inferior.
2) na dependência; em decadência.
3) sob.
4) no tempo de; por ocasião de.
5) em situação inferior a.

b) De baixo
1) a parte inferior.
2) contrário de "a cima".

19. Demais / De mais
a) Demais
1) pronome indefinido = outros.
2) advérbio de intensidade = excessivamente.
3) palavra continuativa = além disso.

b) De mais – locução adjetiva = muito. (Opõe-se a *de menos*.)

20. Detrás / De trás
a) Detrás – na parte posterior; em seguida, depois. (Por detrás – pela retaguarda.)
b) De trás – atrás.

21. Devagar / De vagar
a) Devagar – lentamente; sem pressa.
b) De vagar – de descanso.

22. Dia a dia
a) locução substantiva = a vida cotidiana.
b) locução adverbial = dia após dia.

23. **Em vez de / Ao invés de**
a) Em vez de – em lugar de.
b) Ao invés de – ao contrário de.

24. **Enfim / Em fim**
a) Enfim – afinal; finalmente.
b) Em fim – no fim.

25. **Enquanto / Em quanto**
a) Enquanto – conjunção = ao passo que.
b) Em quanto – preposição + pronome = qual; por quanto.

26. **Malcriado / Mal criado**
a) Malcriado – sem educação.
b) Mal criado – tratado mal.

27. **Malgrado / Mau grado**
a) Malgrado – apesar de (se **não** estiver seguido de preposição).

b) Mau grado
1) contra a vontade.
2) apesar de (se estiver seguido de preposição).

28. **Nenhum / Nem um**
a) Nenhum – pronome indefinido usado para reforçar a negativa *não*, podendo ser substituído pelo indefinido *algum* posposto: *Não tínhamos nenhuma dívida até aquele momento.* (= Não tínhamos dívida *alguma* até aquele momento).
b) Nem um – um só que fosse.

29. **Porquanto / Por quanto**
a) Porquanto – conjunção = visto que.
b) Por quanto = que total de; a quantidade de; por que preço.

30. **Porquê / Porque / Por quê / Por que**
a) Porquê – substantivo = equivalente a "o motivo"; "a causa". P.ex.: Eis o *porquê* da discussão.

b) Porque – conjunção = a oração equivale a "por esta razão". P.ex.: Não veio *porque* adoeceu.

c) Por quê – no fim de período ou seguido de pausa. P.ex.: Não veio *por quê*?

d) Por que
1) nas interrogativas diretas. P.ex.: *Por que* ele não veio?
2) nas interrogativas indiretas. P.ex.: Quero saber *por que* ele não veio.
3) quando igual a 'motivo pelo qual'; 'por qual razão'. P.ex.: Bem sabes *por que* não compareci; *Por que* praticar esportes.
4) quando igual a 'por qual'. P.ex.: A estrada *por que* caminhamos é nova.
5) quando ocorre preposição mais conjunção integrante. P.ex.: Anseio *por que* venhas logo.

31. **Portanto / Por tanto**
a) Portanto – por conseguinte.
b) Por tanto – por este preço; designa quantidade.

32. **Porventura / Por ventura**
a) Porventura – por acaso.
b) Por ventura – por sorte.

33. **Sem-cerimônia / Sem cerimônia**
a) Sem-cerimônia – descortesia; liberdade nos gestos e ações: *Ficou surpresa com a sem-cerimônia do diplomata.*
b) Sem cerimônia – à vontade, sem embaraços ou tensões: *Sirva-se sem cerimônia. Era um jantar sem cerimônia.*

34. **Sem-fim / Sem fim**
a) Sem-fim – número ou quantidade indeterminada.
b) Sem fim – sem término.

35. **Sem-número / Sem número**
a) Sem-número – inumerável; sem conta.
b) Sem número – ausência de numeração.

36. **Se não / Senão**
a) Se não
1) conjunção + advérbio = caso não.
2) pronome + advérbio: se não = não se.

b) Senão
1) substantivo = defeito.
2) conjunção = mas também.
3) preposição (palavra de exclusão) = exceto.
4) depois de palavra negativa ou como segundo elemento dos pares aditivos *não... senão, não só... senão* (também).
5) conjunção = caso contrário.

37. **Sobretudo / Sobre tudo**
a) Sobretudo
1) especialmente; principalmente.
2) casacão, capa.

b) Sobre tudo – a respeito de tudo.

38. **Tampouco / Tão pouco**
a) Tampouco – também não; nem.
b) Tão pouco – muito pouco.

Cuidado com as seguintes expressões

1) **Ao encontro de (= em favor de; indica aproximação)/ De encontro a (= em oposição a; indica posição contrária)**
As minhas ideias vão ao encontro das suas.
As minhas ideias, infelizmente, vão de encontro às suas.

2) **Ao nível de (= à altura de; no mesmo plano de)/ Em nível de (= no nível de; indica uma esfera de ação ou pensamento e pode ser substituída pelas expressões "em termos de", "no que diz respeito a")**
O barco estava ao nível do mar.
Isso foi resolvido em nível de governo estadual.

Observação:

➡ Nestes usos, a expressão "a nível de" não atende à norma-padrão da língua.

3) **Através de (= por dentro de, por entre; de um lado a outro; no decorrer de)**
Só use *através de*, e não *através a*:
A luz do sol passou através da vidraça.
Através dos séculos, dos anos.

4) **Em princípio (= de maneira geral, sem entrar em particularidades)/ A princípio (= no início)**
Em princípio, concordo com tudo isso.
A princípio, eu lecionava inglês; agora, leciono francês.

Capítulo 28

Pontuação

Pode-se entender a pontuação de duas maneiras: numa acepção larga e noutra restrita. A primeira abarca não só os sinais de pontuação propriamente ditos, mas de realce e valorização do texto: títulos, rubricas, margens, escolha de espaços e de caracteres e, indo mais além, a disposição dos capítulos e o modo de confecção do livro.

Segundo a concepção restrita, a que nos interessa aqui, a pontuação é constituída por uns tantos sinais gráficos assim distribuídos: os essencialmente *separadores* (vírgula [,], ponto e vírgula [;], ponto final [.], ponto de interrogação [?], ponto de exclamação [!], reticências [...]) e os sinais de *comunicação* ou *mensagem* (dois-pontos [:], aspas simples [' '], aspas duplas [" "], o travessão simples [-], o travessão duplo [—], os parênteses [( )], os colchetes ou parênteses retos [[ ]], a chave aberta [{], a chave fechada [}]). Alguns destes dois tipos de sinais admitem ainda uma subdivisão em sinais de *pausa que conclui* (fundamentalmente o ponto, e depois ponto e vírgula, o ponto de interrogação, o ponto de exclamação, as reticências, quando em função conclusa) e de *pausa inconclusa* (fundamentalmente pela vírgula, mas também por dois-pontos, parênteses, travessão, colchetes, quando em função inconclusa, isto é, quando as orações estão articuladas entre si).

PARTE 7

Para além da Gramática

Capítulo 29
Noções elementares de Estilística

Capítulo 30
Noções elementares de Versificação

Capítulo 31
Breve história externa da língua portuguesa

Capítulo 32
Compreensão e interpretação de textos

Capítulo 29

Noções elementares de Estilística

Estilística é a parte dos estudos da linguagem que se preocupa com o *estilo*.

Entende-se por *estilo* o conjunto de processos que fazem da língua representativa um meio de exteriorização da linguagem afetiva.

Segundo Charles Bally, estilo não é a oposição entre o *individual* e o *coletivo*, mas o contraste entre o *emocional* e o *intelectivo*. É neste sentido que diferem *Estilística* (que estuda a língua na manifestação da afetividade) e *Gramática* (que trabalha no campo da língua na sua manifestação intelectiva).

Uma não é a negação da outra, nem uma tem por missão destruir o que a outra, com orientação científica, tem podido construir. Ambas se completam.

Traço estilístico e erro gramatical

O traço estilístico pode construir-se por um desvio ocasional de norma gramatical vigente, mas se impõe pela sua intenção estético-expressiva de querer dizer algo mais.

O erro gramatical é o desvio sem intenção estética, por desconhecimento da tradição idiomática vigente.

O estudo da Estilística abarca, semelhante à Gramática, todos os domínios do idioma.

Teremos assim os seguintes campos da Estilística:
1) A *Estilística Fônica* procura indagar o emprego do valor expressivo dos sons: a harmonia imitativa, no amplo sentido do termo. (É a *fonética expressiva*.)

2) A *Estilística Morfológica* sonda o uso expressivo das formas gramaticais: o plural de modéstia; a criação de neologismos expressivos com aproveitamento de todos os recursos do sistema morfológico da língua.

3) A *Estilística Sintática* procura explicar o valor expressivo das construções: na regência; na concordância; na colocação dos termos na oração, na colocação de pronomes, etc.; no emprego expressivo das chamadas *figuras de sintaxe* (elipse, pleonasmo, anacoluto, etc.).

4) A *Estilística Semântica* pesquisa: a significação ocasional e expressiva de certas palavras; o emprego expressivo das chamadas figuras de palavras ou *tropos* (metáfora, metonímia, etc.) e figuras de pensamento e sentimento (antítese, hipérbole, etc.).

Capítulo 30
Noções elementares de Versificação

Poesia e prosa

Poesia é a forma de expressão ordenada segundo certas regras e dividida em unidades rítmicas.
   Prosa é a forma de expressão continuada. Embora a prosa também possa ter ritmo, aqui ele é menos rigoroso que na poesia.
   Verso é o conjunto de palavras que formam, dentro de qualquer número de sílabas, uma unidade fônica sujeita a um determinado ritmo.
   Ritmo é a divisão do tempo em períodos uniformes repetidos mediante os apoios sucessivos da intensidade.
   Metro é o verso que, além de atender ao ritmo, se apresenta dentro de uma norma regular de medida silábica.
   Além do ritmo acentual, conta o verso com a participação da rima e da estrofe, da harmonia vocálica, da aliteração de consoantes, do paralelismo, da anáfora, da ordem das palavras e da valorização semântica de uma palavra ou expressão.

Versificação

É a técnica de fazer versos ou de estudar-lhes os expedientes rítmicos de que se constituem.
   O **ritmo poético**, que na essência não difere das outras modalidades de ritmo, se caracteriza pela repetição. Quando a poesia se constitui de unidades rítmicas iguais, diz-se que a versificação é *regular*; quando isto não ocorre, a versificação é *irregular* ou *livre*.
   Em português o ritmo poético é assegurado pela utilização dos seguintes expedientes, que se podem combinar de maneira variadíssima:
   1) número fixo de sílabas;
   2) distribuição das sílabas fortes (ou tônicas) e fracas (ou átonas);
   3) cesura;
   4) rima;
   5) aliteração;
   6) encadeamento;
   7) paralelismo.

Obs.: O número fixo de sílabas coordenado com a distribuição das sílabas fortes e fracas constitui um *metro poético* e o seu estudo recebe o nome de *métrica*.

Como se contam as sílabas de um verso

Na recitação, a contagem das sílabas se processa diferentemente da análise gramatical; nesta se atenta para a sua representação na escrita, enquanto naquela se busca a realidade auditiva.

Uma das orientações que distinguem a contagem das sílabas entre o poeta e o gramático é que o primeiro só leva em conta até a última sílaba tônica, desprezando a átona ou as átonas finais. Daí a divisão dos versos em *agudos*, *graves* ou *esdrúxulos*, conforme terminarem, respectivamente, por vocábulos oxítonos, paroxítonos ou proparoxítonos.

Fenômenos fonéticos correntes na leitura dos versos

Na leitura dos versos proferimos as palavras com as junções e as pausas que o falar de todos os momentos conhece. Estes fenômenos são: 1) sinérese; 2) diérese; 3) sinalefa; 4) elisão; 5) crase; 6) ectlipse; e podem ocorrer uns dentro do mesmo vocábulo (*intraverbais* ou *internos*) e outros pela junção de dois vocábulos (*interverbais* ou *externos*).

Sinérese ou ditongação é a junção de vogais contínuas numa só sílaba em virtude de uma das vogais passar a semivogal, no interior da palavra.

Diérese é a dissolução de um ditongo em hiato no interior da palavra.

Sinalefa é a perda de autonomia de uma vogal para tornar-se semivogal e, assim, constituir um ditongo ou tritongo com a vogal seguinte.

Elisão é o desaparecimento de uma vogal quando pronunciada junto de outra vogal diferente.

Crase é a fusão de dois ou mais sons iguais num só.

Ectlipse (ek'tlipse) é a supressão da ressonância nasal de uma vogal final de vocábulo para facilitar a sinérese ou a crase com a vogal contígua: coa, coas, co, cos (= com a, com as, com o, com os).

Número de sílabas

O número fixo de sílabas e pausas é o principal dos apoios rítmicos do verso. O poeta tem a liberdade de não ficar, em todo o poema, preso ao mesmo metro.

Os versos em português variam, em geral, de uma a 12 sílabas, sendo raros os que ultrapassam este número. Para sua designação empregam-se os nomes gregos denotativos de número prefixados ao elemento *-sílabo*: *monossílabo*, *dissílabo*, *trissílabo*, *tetrassílabo* (também chamado *quadrissílabo*), *pentassílabo* (também dito de *redondilha menor*), *hexassílabo*, *heptassílabo* (também dito de *redondilha maior* ou só *redondilha*), *octossílabo*, *eneassílabo*, *decassílabo* (também chamado *heroico*), *hendecassílabo* (também chamado de *arte maior*) e *dodecassílabo* (ou também *alexandrino*), nome tirado das numerosas composições medievais que cantavam os feitos do guerreiro Alexandre.

Os versos longos, de ordinário a partir dos de dez sílabas, apresentam uma pausa interna, chamada *cesura*, para ressaltar o movimento rítmico, dividindo o verso em duas partes, nem sempre iguais, conhecidas pelo nome de *hemistíquios*.

Rima

Chama-se *rima* a igualdade ou semelhança de sons pertencentes ao fim das palavras, a partir da sua última vogal tônica.

As palavras em rima podem estar no fim (*rima final*, a mais usual) ou no interior do verso (*rima interna*), podendo, neste último caso, uma das palavras ocupar a posição final.

A rima pode ser *perfeita* (ou com *homofonia*) ou *imperfeita* (ou com *semi-homofonia*). Diz-se *perfeita* quando é completa a identidade dos fonemas finais, a partir da última vogal tônica.

Diz-se *imperfeita* aquela em que a identidade de fonemas finais não é completa, insistindo-se apenas naqueles fonemas que se diferenciam fundamentalmente dos demais.

A rima se diz *consoante* quando é perfeita, isto é, tem os mesmos fonemas a partir da última vogal tônica do verso: *vaga-lume / ciúme*.

Toante (também *assonante*, de *assonância*) é a rima imperfeita, em que há apenas identidade nas vogais tônicas: *terra / pedra*.

Quanto à maneira por que se dispõem nos versos, as rimas podem ser *emparelhadas*, *alternadas* (ou *cruzadas*), *opostas* (ou *entrelaçadas* ou *enlaçadas*), *interpoladas* e *misturadas*.

Cada rima de uma estrofe é designada por uma letra maiúscula ou minúscula do alfabeto, de modo que a sucessão de letras indica a sucessão das rimas.

Emparelhadas são as que se sucedem duas a duas (o esquema é *aabbcc*, etc.).

Alternadas (ou *cruzadas*) são as que, num grupo de quatro versos, se alternam, fazendo que o 1.º verso rime com o 3.º (e os demais ímpares) e o 2.º com o 4.º (e os demais pares). Correspondem ao esquema *abab*.

Opostas (ou *entrelaçadas* ou *enlaçadas*) são as que se verificam em dois versos entre os quais medeiam dois outros também rimados. Correspondem ao esquema *abba*.

Interpoladas são aquelas em que, num grupo de seis versos, o terceiro rima com o sexto, enquanto o primeiro rima com o segundo, e o quarto com o quinto. Correspondem ao esquema *aabccb*.

Misturadas são aquelas em que a distribuição é livre. As rimas misturadas, para lograrem êxito, requerem constância, vivacidade e sonoridade.

Aliteração

É o apoio rítmico que consiste em repetir fonemas em palavras simetricamente dispostas. A aliteração nasce, em geral, do desejo de harmonia imitativa.

Encadeamento

Consiste na repetição simetricamente disposta de fonemas, palavras, expressões ou um verso inteiro.

Paralelismo

É a repetição de ideias mediante expressões aproximadas.

Estrofação

O poema pode conter dois ou mais versos os quais se agrupam para formar uma *estrofe*.

O costume tradicional é iniciar cada verso com letra maiúscula, qualquer que seja a sua relação sintática. Pode-se, entretanto, pôr, no início, letra minúscula, conforme a sua relação sintática com o verso precedente.

As estrofes de dois, três, quatro, cinco, seis, oito e dez versos recebem respectivamente os seguintes nomes especiais: *dísticos* ou *parelhas*, *tercetos*, *quadras* (ou *quartetos*), *quintilhas* (*quintetos*), *sextilhas* (*sextetos*), *oitavas* e *décimas*. As estrofes de *sete* e *nove* versos não têm nome especial; alguns autores usam para elas *setilhas* e *nonas*.

Verso de ritmo livre

O verso de ritmo livre não tem número regular de sílabas, versos e estrofes, nem são uniformes e coincidentes o número e a distribuição das sílabas átonas e tônicas responsáveis pelo movimento rítmico.

Capítulo 31
Breve história externa da língua portuguesa

A língua portuguesa é a continuação ininterrupta, no tempo e no espaço, do latim levado à Península Ibérica pela expansão do império romano, no início do séc. III a.C. Particularmente está na raiz do processo de romanização dos povos do oeste e noroeste (lusitanos e galaicos).

O português, na sua feição originária galega, surgirá entre os séculos IX e XII, mas seus primeiros documentos datados só aparecerão nos séculos XII e XIII. A denominação "língua portuguesa" para substituir os antigos títulos "romance" ("romanço"), "linguagem", só passou a correr durante os escritores da Casa de Avis, com D. João I. Foi D. Dinis que oficializou o português como língua veicular dos documentos administrativos, substituindo o latim.

O português pode ser dividido nos seguintes períodos linguísticos:
a) *português arcaico*: do séc. XII ao final do XIV;
b) *português arcaico médio*: da 1.ª metade do séc. XV à 1.ª metade do séc. XVI;
c) *português moderno*: da 2.ª metade do séc. XVI ao final do séc. XVII (podendo-se estender aos inícios do séc. XVIII);
d) *português contemporâneo*: do séc. XVIII aos nossos dias.

Chegando ao Brasil em 1500 com nossos descobridores, praticamente só em 1534 foi introduzida a língua portuguesa com início efetivo da colonização, com o regime das capitanias hereditárias. Conclui-se que a língua que chegou ao Brasil pertence à fase de transição entre a arcaica e a moderna, já alicerçada literalmente.

A pouco e pouco, à medida que se ia impondo, pela cultura superior dos europeus, o desenvolvimento e progresso da colônia e do país independente, a língua portuguesa foi predominando sobre a "língua geral" de base indígena e dos falares africanos, a partir da segunda metade do século XVIII.

Em Portugal, no Brasil, em Angola, Cabo Verde, Guiné-Bissau, Moçambique, São Tomé e Príncipe, acrescido recentemente de Timor-Leste e Guiné-Equatorial, a língua portuguesa, patrimônio cultural de todas estas nações, tem sido, e esperamos seja por muito tempo, expressão da sensibilidade e da razão, do sonho e das grandes realizações de todas elas.

Língua portuguesa

Última flor do Lácio, inculta e bela,
És, a um tempo, esplendor e sepultura:
Outro nativo, que na ganga impura
A bruta mina entre os cascalhos vela...

Amo-te, assim, desconhecida e obscura,
Tuba de alto clangor, lira singela,
Que tens o trom e o silvo da procela,
E o arrolo da saudade e da ternura!

Amo o teu viço agreste e o teu aroma
De virgens selvas e de oceano largo!
Amo-te, ó rude e doloroso idioma,

Em que da voz materna ouvi: "Meu filho!"
E em que Camões chorou, no exílio amargo,
O gênio sem ventura e o amor sem brilho!

Olavo Bilac

Capítulo 32

Compreensão e interpretação de textos

Fechando o círculo

O falar em geral, do plano *universal* da linguagem, implica falar segundo as regras elementares do pensar em conformidade com o conhecimento geral que o homem tem do mundo e das coisas nele existentes. Enfim, as pessoas têm de ser *congruentes* no falar e no entender os outros. Bom exercício desta atividade é a *interpretação* e a *compreensão* de textos escritos. Por isso, esta *Gramática* não poderia terminar sem chamar a sua atenção para tão importante assunto.

Os dez mandamentos para análise de textos num teste de interpretação

1. Ler duas vezes o texto. A primeira para tomar contato com o assunto; a segunda para observar como o texto está articulado, desenvolvido, exposto.
2. Observar que um parágrafo em relação ao outro pode indicar uma continuação ou uma conclusão ou, ainda, uma falsa oposição.
3. Sublinhar, em cada parágrafo, a ideia mais importante (tópico frasal).
4. Ler com muito cuidado os enunciados das questões para entender direito a intenção do que foi pedido.
5. Sublinhar palavras como: erro, incorreto, correto, etc., para não se confundir no momento de responder à questão.
6. Escrever, ao lado de cada parágrafo ou de cada estrofe, a ideia mais importante contida neles.
7. Não levar em consideração o que o autor quis dizer, mas sim o que ele disse; escreveu.
8. Examinar com atenção a introdução e/ou a conclusão, se o enunciado mencionar tema ou ideia principal.
9. Preocupar-se com o desenvolvimento, se o enunciado mencionar argumentação.
10. Tomar cuidado com os vocábulos relatores (os que remetem a outros vocábulos do texto: pronomes relativos, pronomes pessoais, pronomes demonstrativos, etc.).

Compreensão e interpretação de texto

Compreensão de texto – consiste em analisar o que realmente está escrito, ou seja, coletar dados do texto.

Interpretação de texto – consiste em saber o que se infere (conclui) do que está escrito.

Três erros capitais na análise de textos

1. Extrapolação

É o fato de se fugir do texto. Ocorre quando se interpreta o que não está escrito. Muitas vezes são fatos reais, mas que não estão expressos no texto. Deve-se ater somente ao que está relatado.

2. Redução

É o fato de se valorizar uma parte do contexto, deixando de lado a sua totalidade. Deixa-se de considerar o texto como um todo para se ater apenas à parte dele.

3. Contradição

É o fato de se entender justamente o contrário do que está escrito. É bom que se tome cuidado com algumas palavras, como: "pode"; "deve"; "não"; verbo "ser"; etc.

Linguística textual

Para não ser ludibriado pela articulação do contexto, é necessário estar atento à *coesão* e à *coerência* textuais.

Coesão textual é o que permite a ligação entre as diversas partes de um texto. Pode-se dividir em três segmentos: *coesão referencial*, *coesão sequencial* e *coesão recorrencial*.

1. **Coesão referencial** – é a que se refere a outro(s) elemento(s) do mundo textual:
   De você só quero *isto*: a sua amizade (antecipação de uma palavra gramatical → "isto" = "a sua amizade").

2. **Coesão sequencial** – é feita por conectores ou operadores discursivos, isto é, palavras ou expressões responsáveis pela criação de relações semânticas

(causa, condição, finalidade, etc.). São exemplos de conectores: mas, dessa forma, portanto, então, etc.:
Ele é rico, *mas* não paga as suas dívidas. (O vocábulo "mas" não faz referência a outro vocábulo; apenas conecta (liga) uma ideia a outra, transmitindo a ideia de *compensação*.)

3. **Coesão recorrencial** – é realizada pela repetição de vocábulos ou de estruturas frasais semelhantes:
Os carros *corriam, corriam, corriam*.

Coerência textual é a relação que se estabelece entre as diversas partes do texto, criando uma unidade de sentido. Está ligada ao entendimento, à possibilidade de interpretação daquilo que se ouve ou lê.

Um fato normal é a coesão textual levar à coerência; porém pode haver texto com a presença de elementos coesivos, e não apresentar coerência.

Veja o texto: O presidente George W. Bush está descontente com o grupo Talibã. Estes eram estudantes da escola fundamentalista. Eles, hoje, governam o Afeganistão. Os afegãos apoiam o líder Osama Bin Laden. Este foi aliado dos Estados Unidos quando da invasão da União Soviética ao Afeganistão.

Comentário:
Ninguém pode dizer que falta coesão a este parágrafo. Mas de que se trata mesmo? Do descontentamento do Presidente dos Estados Unidos? Do grupo Talibã? Do povo afegão? Do Osama Bin Laden? Embora o parágrafo tenha coesão, não apresenta coerência, entendimento.

Obs.: Pode ainda um texto apresentar coerência e não apresentar elementos coesivos.

Intertextualidade ou polifonia

Consiste em apresentar a fala de outra pessoa, ou do próprio autor, em outro texto.

Tipologia textual

Pode-se dizer que existem basicamente três tipos de texto: o *descritivo*, o *narrativo* e o *dissertativo*.

Texto descritivo

A descrição assemelha-se ao retrato, procura transmitir ao leitor a imagem que se tem de um ser mediante a percepção dos cinco sentidos: tato, gustação, olfato, visão e audição.

Texto narrativo

A narração é a forma de composição que consiste no relato de um fato real ou imaginário. O texto narrativo compõe-se de exposição, enredo e desfecho; e os elementos centrais são as personagens, as ações e as ideias.

Texto dissertativo

A dissertação é a forma de composição que consiste na posição pessoal sobre determinado assunto. O discurso dissertativo pode ser:
a) *expositivo*: consiste numa apresentação, explicação, sem o propósito de convencer o leitor.
b) *argumentativo*: consiste numa opinião que tenta convencer o leitor de que a razão está do lado de quem escreveu o texto.

Lista de abreviaturas (autores)

[AAz]   Aluísio Azevedo (1857-1913)
[AC]   Antônio Feliciano de Castilho (1800-1875)
[AF]   Antônio Ferreira (1528-1569)
[AGa]   Almeida Garrett (1799-1854)
[AH]   Alexandre Herculano (1810-1877)
[AM]   Aníbal Machado (1894-1964)
[AMM]   Ana Maria Machado (1941-)
[CA]   Casimiro de Abreu (1839-1860)
[CBr]   Camilo Castelo Branco (1825-1890)
[CC]   Luís da Câmara Cascudo (1898-1986)
[CF]   Cândido de Figueiredo (1846-1925)
[CG]   Carlos Góis (1881-1934)
[CL]   Carlos de Laet (1847-1927)
[CPi]   José Cardoso Pires (1925-1998)
[CR]   Ernesto Carneiro Ribeiro (1839-1920)
[EC]   Euclides da Cunha (1866-1909)
[ED]   Epifânio Dias (1841-1916)
[EP]   Eduardo Prado (1860-1901)
[EQ]   Eça de Queirós (1845-1900)
[FB]   Fausto Barreto (1852-1908)
[GD]   Gonçalves Dias (1823-1864)
[GR]   J. Guimarães Rosa (1908-1967)
[JJN]   José Joaquim Nunes (1859-1932)
[JL]   José Lins do Rego (1901-1957)
[JO]   José Oiticica (1882-1957)
[JU]   João Ubaldo Ribeiro (1941-2014)
[LB]   Lima Barreto (1881-1922)
[LC]   Luís de Camões (1524-1580)
[LCo]   Latino Coelho (1825-1891)
[LS]   Frei Luís de Sousa (1555-1632)
[LV]   José Leite de Vasconcelos (1858-1941)
[MA]   Machado de Assis (1839-1908)
[MB]   Manuel Bandeira (1886-1968)
[MBa]   Mário Barreto (1879-1931)
[MBe]   Pe. Manuel Bernardes (1644-1710)
[MC]   J. Mattoso Câmara Jr. (1904-1970)
[ML]   Monteiro Lobato (1882-1948)
[MM]   Marquês de Maricá (1773-1848)
[NR]   Nelson Rodrigues (1912-1980)
[RB]   Rui Barbosa (1849-1923)

[RD]   Santa Rita Durão (1722-1784)
[RS]   Augusto Rebelo da Silva (1822-1871)
[SA]   Manuel Said Ali (1861-1953)
[SLN] Simões Lopes Neto (1865-1916)
[SS]   Álvaro F. de Sousa da Silveira (1883-1967)
[VM]   Vinicius de Moraes (1913-1980)

Índice de assuntos

A

a acentuado (*à*), emprego do, 90
a e há, 94
a olhos vistos, 123
à toa, 208
à vontade, 208
abaixo / a baixo, 207
abaixo-assinado / abaixo assinado, 207
abraçar, 138
abreviação, 158
abreviatura, 205, 206
abreviaturas, símbolos e siglas, 205
acento de intensidade, 180
acento grave
   emprego, 191
acentuação gráfica
   casos especiais, 186
acentuação gráfica dos monossílabos e vocábulos com mais de uma sílaba, 186
acerca de / cerca de / a cerca de / há cerca de, 207
acima / a cima, 207
acudir, 138
acumulação de elementos mórficos, 155
acúmulo de preposições, 90
aderir, 73, 137
adjetivação de oração originariamente substantiva, 105
adjetivo, 50
adjetivo composto, 123
adjunto adnominal, 38
adjunto adverbial, 38
adorar, 138
adverbialização de adjetivos, 88
advérbio, 85
advérbios de base nominal e pronominal, 87
advir, 73
afim / a fim de, 208
afixos
   sufixos e prefixos. interfixos, 153
afora / a fora, 208
aglutinação, 157
agradar, 138
aguar, 78, 190
ajudar, 138
alfabeto, 185
alguma coisa boa ou alguma coisa de bom, 124
aliteração, 174, 221
alofone, 168
alterações semânticas, 161
anacoluto, 146
anáfora, 147
anástrofe, 148
anglicismos, 150
antecipação ou prolepse, 147
antítese, 163
antonímia, 164
antonomásia, 162
ao encontro de / de encontro a, 212
ao nível de / em nível de, 212
aparte / à parte, 208
apaziguar, 78, 190
apedido / a pedido, 208
apelido, 45
aposto, 39
aposto circunstancial, 40
aposto distributivo, 40
aposto enumerativo, 39
apóstrofe, 163

apóstrofo, 198
arquilexema, 160
artigo, 53
artigo definido
    emprego, 53
artigo indefinido
    emprego, 54
artigo partitivo, 55
aspas, 203
aspirar, 138
assíndeto, 148
assistir, 138
asterisco, 204
atender, 138
atingir, 139
através de, 212
auxiliares acurativos, 75
auxiliares modais, 76
averiguar, 78

B

barbarismo, 149
bem-feito / benfeito / bem feito, 208
bem-posto / bem posto, 208
boa-vida / boa vida, 208
braquilogia, 147, 154, 162
breve história externa da língua
    portuguesa, 222

C

cacofonia ou cacófato, 177
cardinais, 66
castelhanismos, 150
catacrese, 162
catáfora, 64
cesura, 218
chamar, 139
chegar, 139
circunstâncias adverbiais, 85

coerência textual, 226
coesão textual, 225
colchetes, 213
coletivos, 45
colisão, 175
combinação, 159
combinação e contração com outras
    palavras, 90
como se contam as sílabas de um
    verso, 219
comparativos e superlativos
    irregulares, 52
compelir, 73
complemento de agente da passiva, 36
complemento nominal, 39
complemento relativo, 103
complementos verbais
    preposicionados, 35
composição e lexia (conceito), 157
compreensão e interpretação de
    textos, 224
concordância
    anexo, apenso, e incluso, 122
    é necessário paciência, 123
concordância com a expressão *que
    dirá*, 135
concordância com a expressão *que é
    de*, 134
concordância com *a não ser*, 134
concordância com *dar* (e sinônimos)
    aplicado a horas, 131
concordância com *haja vista*, 133
concordância com *mais de um*, 130
concordância com *ou seja, como
    seja*, 134
concordância com pronomes
    relativos, 131
concordância com *quais de vós*, 130
concordância com títulos no plural, 132
concordância com verbos impessoais,
    131
concordância com verbos na reflexiva
    de sentido passivo, 132

concordância em *já vão, já vai*, 135
concordância em *vivam os campeões!*, 136
concordância na locução verbal, 133
concordância no aposto, 134
concordância nominal, 120
concordância verbal, 125
concorrência de subordinadas
   equipolência interoracional, 112
condicional, 70
conector e transpositor, 95
conectores ou conjunções coordenativas, 96
conhecer, 139
conjugar um verbo, 72
conjunção, 95
conjunções aditivas, 96
conjunções e locuções conjuntivas subordinativas, 97
conjunções subordinativas ou transpositores, 97
conquanto / com quanto, 208
consoantes
   classificação, 172
contaminação sintática, 147
contanto / com tanto, 209
contrações, 187
contradição, 225
contudo / com tudo, 209
conversão, 159
convidar, 139
coordenação, 109
crase, 90, 192, 219
crase facultativa, 93
cujo, 105
custar, 139

D

dado e visto
   concordância, 122
dantes / de antes, 209
debaixo / de baixo, 209
decorrência de subordinadas, 111
demais / de mais, 209
demonstrativos referidos à noção de espaço, 63
demonstrativos referidos à noção de tempo, 64
demonstrativos referidos a nossas próprias palavras, 64
derivação, 158
derivação prefixal, 158
derivação sufixal, 158
desaguar, 190
desdobramento de orações reduzidas, 114
desinências e sufixos verbais, 77
detrás / de trás, 209
devagar / de vagar, 209
dia a dia, 209
diérese, 219
dígrafo, 177
disciplina das unidades significativas, 25
disciplinas das unidades não significativas, 25
discurso direto, indireto e indireto livre, 110
ditongo, 170
ditongo crescente, 170
ditongo decrescente, 171
divisão silábica, 199

E

eco, 175
ectlipse, 219
elementos estruturais do verbo
   desinências e sufixos verbais, 77
elipse, 146
elisão, 219
em princípio / a princípio, 212
em vez de / ao invés de, 210
emergir, 165
empréstimos, 157

encadeamento, 221
ênclise, 144
encontro consonantal e dígrafo, 177
encontros de fonemas e eufonia, 175
enfim / em fim, 210
enquanto / em quanto, 210
ensinar, 139
enxaguar, 190
esperar, 139
esquecer, 139
estilística, 216
estilística fônica, 215
estilística morfológica, 216
estilística sintática, 216
estrangeirismos, 149
estrofação, 221
estruturas secundárias, 160
estruturas sintagmáticas
    solidariedades, 160
etimologia popular ou associativa, 162
eu lírico, 162
eufemismo, 161
eufonia, 175
expletivo, 87
expressão expletiva ou de realce, 147
expressão idiomática, 150
expressões de porcentagem
    concordância, 133
extrapolação, 225

F

família de palavras, 153
fenômenos fonéticos correntes na
    leitura dos versos, 219
fenômenos que ocorrem na ligação de
    elementos mórficos, 154
figuras de palavras, 161
figuras de pensamento, 163
figuras de sintaxe (ou de
    construção), 146

flexões do adjetivo, 50
fonemas, 168
fonemas não são letras, 168
fonética descritiva, 174
fonética expressiva ou
    fonoestilística, 174
formação de palavras, 158
formação do feminino dos adjetivos, 51
formação regressiva, 158
formas compostas do verbo, 74
formas de tratamento, 58
formas nominais do verbo, 71
formas rizotônicas e arrizotônicas, 73
fracionários, 68
francesismos, 150
função fática, 163
função referencial, 164
função sintática do substantivo, 49
funções sintáticas e classes de
    palavras, 40
futuro, 70, 81

G

galicismos, 150
gênero do adjetivo, 51
gênero do substantivo, 46
gênero nas profissões femininas, 47
gradação do adjetivo, 51
grafema, 152
grau do substantivo, 49
grupos nominais, 152
grupos oracionais, 109, 111
grupos oracionais / a coordenação, 109

H

haplologia (ou braquilogia), 154
haver, 198
hiato, 175, 180

hífen, 192
    emprego, 192-198
hífen nos casos de ênclise, mesóclise (tmese) e com o verbo haver, 198
hipálage, 162
hipérbato, 148
hipérbole, 163
hiperônimo, 164
hipônimo, 164
homofonia, 164
homonímia, 164

I

idiotismo ou expressão idiomática, 150
imergir, 73
impedir, 139
imperativo, 70, 81
implicar, 139
importância da oração para a gramática, 24
indicativo, 70, 80
infinitivo
    emprego, 72
infinitivo flexionado e sem flexão, 72
infinitivo fora da locução verbal, 82
infinitivo na locução verbal, 82
informar, 140
instrumentos gramaticais, 25
intensidade, quantidade, timbre e elementos mórficos, 155
intensificação, 159
intensificação gradual dos advérbios, 88
interfixos, 153
interjeição, 100
intertextualidade ou polifonia, 225
ir, 140
ironia, 163

J

justaposição, 110

L

leitura de expressões numéricas abreviadas, 67
lembrar, 140
leso, 122
letra, 168
letra diacrítica, 178
lexema, 160
lexemática, 160
língua exemplar ou padrão, 26
língua funcional, 27
locução adjetiva, 50
locução adverbial, 85
locução interjetiva, 100
locução prepositiva, 89
locução pronominal indefinida, 59
locução verbal, 74

M

maiúsculas e minúsculas
    emprego, 199
malcriado / mal criado, 210
malgrado / mau grado, 210
meio, 122
menos e somenos, 122
mesmo, próprio, só, 122
mesóclise, 144
metafonia, 155
metáfora, 161
metalinguagem, 164
metonímia, 162
metro, 218
migrações de preposição, 137
modos do verbo, 70
morar, 140
morfema, 152
    radical e afixos, 152
morfema zero, 155
morfemas livres e morfemas presos, 152

morfologia, 25
multiplicativos, 67

N

nenhum / nem um, 211
neologismos, 157
neutralização e sincretismo, 155
noção de adjunto, adjunto adnominal e adjunto adverbial, 38
nomes próprios, 203
nomes de grupo, 45
numeral, 66
número de sílabas no verso, 219
número do adjetivo, 50
número do substantivo, 50

O

o qual, 60
obedecer, 140
objeto direto e complementos preposicionados, 33
objeto direto preposicionado, 34
objeto indireto, 35
obliquar, 78, 190
obstar, 140
ocorre a crase nos seguintes casos principais, 91
onde, aonde, donde, 64
onomatopeia, 174
optativo, 70
oração, 23
oração complexa, 102
oração e frase, 117
oração intercalada, 110
oração interrogativa, 24
oração sem sujeito, 30
oração subordinada, 102
orações adjetivas reduzidas, 115
orações adverbiais reduzidas, 115
orações complexas de transposição adjetiva, 104
orações complexas de transposição adverbial, 106
orações complexas de transposição substantiva, 102
orações coordenadas aditivas, 109
orações coordenadas adversativas, 109
orações coordenadas alternativas, 110
orações exclamativas e optativas, 145
orações reduzidas, 114
orações reduzidas de gerúndio, 116
orações reduzidas de infinitivo, 116
orações reduzidas de particípio, 116
orações subordinadas adverbiais, 107
orações subordinadas causais, 107
orações subordinadas comparativas, 107
orações subordinadas concessivas, 108
orações subordinadas condicionais, 108
orações subordinadas consecutivas, 108
orações subordinadas finais, 108
orações subordinadas temporais, 109
orações substantivas reduzidas, 115
ordem direta ou usual, 142
ordem inversa ou ocasional, 142
ordinais, 66
ortoepia, 177
ortoepia, prosódia e ortografia, 25
ortografia, 167
ortografia e ortoepia, 177
ouvir, 73
oximoro, 163
oxítonas, 181

P

pagar, 140
palavras cognatas família de palavras, 153
palavras indivisíveis e divisíveis, 153
palavras lexemáticas ou lexemas, 160
palavras que admitem dupla prosódia, 182
paradoxo, 163
paralelismo, 221

parassíntese, 156
parênteses, 203, 214
paronímia, 165
paroxítonas, 181
particípio, 115-116
passagem da voz ativa à passiva e vice-versa, 83
perder, 73
perdoar, 138
períodos linguísticos, 222
perto de, cerca de e equivalentes concordância, 134
pesar, 140
pessoas do discurso, 57
pessoas do verbo, 69
pleonasmo, 146
poesia e prosa, 218
polir, 73
polissemia, 164
polissíndeto, 148
ponto de exclamação, 213
ponto de interrogação, 213
ponto e vírgula, 213
ponto final, 213
ponto parágrafo, 213
pontuação, 213
pôr, 73, 196
porquanto / por quanto, 210
porquê / porque / por quê / por que, 210
portanto / por tanto, 211
porventura / por ventura, 211
posição do acento tônico, 180
posição do predicado e do sujeito, 29
posição do pronome pessoal átono ênclise, próclise, mesóclise, 143
possessivo e as expressões de tratamento do tipo vossa excelência, 63
possessivo em referência a um possuidor de sentido indefinido, 63
possessivo para indicar ideia de aproximação, 62
possível, 123
predicado simples e complexo, 33
predicativo, 35
preferir, 140
prefixos, 153
preposição, 89, 136
preposição *por* como posvérbio, 139
preposições essenciais e acidentais, 89
presente, 69
presidir, 140
pretérito, 69
pretérito imperfeito, 81
pretérito mais-que-perfeito, 81
pretérito perfeito, 81
princípios gerais de concordância verbal, 28
proceder, 141
próclise, 143
prolepse, 147
pronome, 56
pronome oblíquo reflexivo, 57
pronome oblíquo reflexivo recíproco, 57
pronome pessoal, 60
    emprego, 61
pronome pessoal átono, 35
pronome *se* na construção reflexa, 61
pronome substantivo e pronome adjetivo, 56
pronomes demonstrativos, 58
pronomes indefinidos, 59
pronomes interrogativos, 59
pronomes pessoais átonos e do demonstrativo *o* colocação, 144
pronomes pessoais átonos e o demonstrativo *o*, 144
pronomes possessivos, 56
pronomes relativos, 59
proparoxítonas, 182
próprio, 122
prosa, 218

prosódia, 179
prosopopeia, 163
pseudo e todo, 122

Q

quais de vós, 130
quantidade, 155
quanto, 59
quem, 105
querer, 141

R

radical, 152
reaver, 73
recitação, 219
redução, 225
reduplicação, 158
regência, 136
   complementos de termos de regências diferentes, 137
   Está na hora da onça beber água, 136
   Eu gosto de tudo, exceto isso ou *exceto disso*, 136
remir, 73
renovação do léxico
   criação de palavras, 157
repetição de prefixo e preposição, 136
requerer, 141
responder, 141
reticências, 213
rima interna, 220
rima perfeita e imperfeita, 220
rimas alternadas (ou cruzadas), 221
rimas consoantes e toantes, 220
rimas emparelhadas, 221
rimas interpoladas, 221
rimas misturadas, 221
rimas opostas (ou entrelaçadas ou enlaçadas), 221
ritmo poético, 218

S

saberes da competência linguística, 26
satisfazer, 141
se não / senão, 211
semas, 159
sem-cerimônia / sem cerimônia, 211
sem-fim / sem fim, 211
semivogais. encontros vocálicos
   ditongos, tritongos e hiatos, 169
sem-número / sem número, 211
servir, 139
seu e dele para evitar confusão, 62
siglas, 206
sílaba tônica, 73
sílaba tônica nos verbos, 78
silabada, 182
silepse, 148
símbolo, 205
sinais de pontuação, 216
sinalefa, 221
sincretismo, 155
sinérese, 180
sinestesia, 162
sinonímia, 164
sínquise, 142
sintaxe de colocação, 142
sistema ortográfico vigente no Brasil, 184
só, 77
sobrenome, 45
sobretudo / sobre tudo, 212
socorrer, 140
solecismo, 149
solidariedade, 161
subjuntivo, 70
subjuntivo (conjuntivo), 70
submergir, 73
subordinação
   oração complexa, 102
substantivação, 53
substantivo, 44
substantivo abstrato, 44

substantivo concreto, 44
substantivos coletivos, 45
substantivos próprios e comuns, 45
suceder, 142
sufixos, 153
sujeito constituído por pronomes pessoais, 126
sujeito e predicado, 28
sujeito indeterminado, 30
sujeito ligado por *com*, 127
sujeito ligado por *nem... nem*, 127
sujeito ligado por *ou*, 127
sujeito ligado por série aditiva enfática, 126
sujeito representado por *cada um de, nem um de, nenhum de* + plural, 128
sujeito representado por expressão como *a maioria de, a maior parte de* + nome no plural, 128
sujeito simples e composto, 28
superlativo absoluto e relativo, 51
superlativo irregular, 52
suplementação nos elementos mórficos, 156

T

tal e qual, 123
tampouco / tão pouco, 212
tempos do verbo, 69
tempos e modos
  emprego, 80
tempos primitivos e derivados, 77
termos preposicionados e pronomes átonos, 137
texto descritivo, narrativo, dissertativo, 226
timbre, 154, 169
tipologia textual, 226
todo, 54

topônimos, 45
traço estilístico e erro gramatical, 216
transposição adjetiva, 104
transposição substantiva, 103
transpositores ou conjunções subordinativas, 97
travessão, 204
trema, 191
tritongo, 171

U

um e outro, nem um nem outro, um ou outro, 121
unidades adverbiais que não são conjunções coordenativas, 97

V

ver, 154
verbo, 69
verbo intransitivo e transitivo, 33
verbo ser
  concordância, 128
verbos a cuja regência se há de atender na língua-padrão, 138
verbos anômalos, 72
verbos auxiliares, 76
verbos defectivos / abundantes, 73-74
verbos em *-ear* e *-iar*, 79
verbos impessoais, 74, 131
verbos irregulares, 73-74
verbos regulares, 73
versificação, 218
verso, 218
verso de ritmo livre, 221
vícios e anomalias de linguagem, 146
vírgula, 29, 110, 213
visar, 142
visitar, 142
visto, 89

vocábulo expressivo, 175
vocábulos fonéticos, 180
vocábulos tônicos e átonos
  os clíticos, 180
vocativo, 40
vogais e consoantes, 169
vogais e consoantes de ligação, 154
vogais nasais, 169
vogal temática / o tema, 152
voz ativa, 37, 70

voz passiva, 70
voz reflexiva, 70
vozes do verbo, 70

Z

zeugma, 149
zona de articulação das consoantes, 172
zona de articulação das vogais, 169

Direção editorial
Daniele Cajueiro

Editoras responsáveis
Janaina Senna
Shahira Mahmud

Produção editorial
Adriana Torres
Mariana Bard
Laiane Flores

Revisão
Fatima Amendoeira Maciel
Perla Serafim

Indexação
Jaciara Lima

Diagramação
Ranna Studio

Este livro foi impresso em 2025, pela Vozes, para a Nova Fronteira.
O papel de miolo é offset 75g/m² e o da capa é cartão 250g/m².